SOCIEDADES
SECRETAS...

y cómo afectan nuestras
vidas en la actualidad

SOCIEDADES SECRETAS...

y cómo afectan nuestras vidas en la actualidad

SYLVIA BROWNE

HAY HOUSE, INC.

Carlsbad, California • New York City
London • Sydney • Johannesburg
Vancouver • Hong Kong • New Delhi

Derechos de Autor © 2007 por Sylvia Browne

Publicado y distribuido en los Estados Unidos por: Hay House, Inc., P.O. Box 5100, Carlsbad, CA 92018-5100 USA • (760) 431-7695 o al (800) 654-5126 • (760) 431-6948 (fax) o al (800) 650-5115 (fax)

Supervisión de la editorial: Jill Kramer • *Diseño:* Tricia Breidenthal
Traducción al español: Oscar Gomezese y el equipo de Mincor: **www.mincor.net**

Título del original en inglés: *SECRET SOCIETIES . . . and How They Affect Our Lives Today*

ISBN-13: 978-1-61523-360-1

Impreso en los Estados Unidos

*A Ben Isenhower,
por ayudarme a clasificar
la enorme cantidad de
investigación para este libro*

CONTENIDO

INTRODUCCIÓN

*H*ace unos años, realizando el trabajo de investigación para mi libro *Secretos y Misterios del Mundo,* me encontré transitando por caminos sorprendentes. Por ejemplo, me sentí especialmente atraída por las "sociedades secretas", sus múltiples influencias y manipulaciones. No sólo estaba sorprendida por la forma en que estas asociaciones han impactado la historia de la humanidad, sino asombrada al darme cuenta que la mayoría de la gente en nuestro mundo ni siquiera sabe de la existencia de estas organizaciones. También me causó gran impacto el hecho de que los propios miembros de estos grupos, tuvieran un conocimiento limitado de sus formas internas de operar y de sus intenciones más secretas.

A medida que progresaba en la investigación del libro que usted tiene en sus manos, no podía creer cuánto se ha escrito sobre las sociedades secretas; y sin embargo, qué poco se entiende sobre ellas en realidad. Me di cuenta que esto se debe en parte a su clandestinidad; después de todo, si la información sobre ellas estuviera disponible abiertamente para nosotros, estos grupos no estarían

1

operando de forma encubierta con el fin de realizar sus propósitos. La pregunta es: ¿cuáles son *las* razones de estas asociaciones furtivas?

La mayoría de nosotros podemos deducir lógicamente que si los propósitos de estas organizaciones fueran para el beneficio de la humanidad, no tendrían la necesidad de ser tan crípticas. De hecho, la sola palabra *secreto* tiende a tener connotaciones negativas. En nuestra mente, el término equivale a *oculto, misterioso* y *desconocido*, lo cual generalmente es asociado con mentiras, terrorismo y complot contra quién sabe quién. La palabra *secreto* también evoca toda clase de "cosas malas", como cultos, operaciones encubiertas u ocultas de los gobiernos, satanismo, inteligencia y espionaje, y agremiaciones enloquecidas por el dinero y el poder que quieren gobernar el mundo.

En otras palabras, a la mayoría de nosotros no nos gusta que nos oculten cosas, y cuando encontramos que lo han hecho, muy posiblemente nos sentimos resentidos. Sin embargo, también tenemos la tendencia a ignorar lo que hemos descubierto o, sencillamente, desinteresarnos del asunto. Los gobiernos y las organizaciones religiosas han venido explotando por años estas características comunes al ser humano. Es fácil verlo, la falta de información lleva al desinterés y eventualmente a la aceptación...; todo es cuestión de tiempo. Basta observar la frecuencia con la que alguien que ha estado apareciendo en las noticias, puede ser completamente olvidado unos meses después. Esto lo vemos todo el tiempo con las figuras públicas, los políticos y los personajes de la farándula. El uso de esteroides en los deportes es un buen ejemplo: el tema en su momento llegó a originar grandes titulares, pero ahora está relegado a las páginas interiores de los diarios, principalmente porque quienes están en el poder, lo han hecho desaparecer.

Nadie que esté tratando de operar clandestinamente llama la atención o quiere que el público sepa lo que está haciendo. Esa es la razón por la cual *El Código de Da Vinci* de Dan Brown, centrado en diferentes sociedades secretas, puede llegar a ser devastador para estas organizaciones. Fue un éxito de tal magnitud que a pesar de ser una novela de ficción (con el apoyo de un buen trabajo de investigación), está tan bien escrita que ha logrado mantener el interés de la opinión pública en estos grupos subterráneos. Ahora han empezado a aparecer trabajos que no son ficción, poniendo el mundo de estas sociedades secretas bajo el microscopio y sacando muchas verdades a la luz...; ahí es donde entro yo.

Lo que comenzó Francine

Muchos de los libros que he escrito, se han originado en el trabajo que he realizado durante más de 50 años como psíquica profesional, profesora e investigadora. He enfocado mi exploración en las variadas facetas de la supervivencia humana, así como en profecías, religiones y, en general, tratando de mostrar lo que realmente es la espiritualidad. No es diferente el caso de *Sociedades secretas... y cómo afectan nuestras vidas en la actualidad.* Junto con los miembros de mi equipo de investigación, llegamos cándidamente a este tópico hace alrededor de unos 37 años, gracias a mi guía espiritual Francine. Para quienes no lo saben, Francine ha estado conmigo toda la vida. Aunque puedo oírla, no puedo escucharla por mucho tiempo debido a que su voz llega a mi oído derecho en muy baja frecuencia. Por consiguiente, prefiero entrar en trance y hacer que ella hable *a través* mío y de esa manera nos entregue la información necesaria para el grupo de investigación.

Francine empezó una de esas particulares sesiones hablando sobre el FBI durante el reinado de J. Edgar Hoover y las muchas cosas que mantenía en secreto (en el caso de que usted fuera de su agrado o que lo hubieran sobornado para mantenerlo en silencio), y enseguida, pasó a discutir aspectos sobre las sociedades secretas. Aunque en aquellos días grabamos, pusimos fechas y archivamos estos trances para futuras referencias, me preguntaba de qué manera podría usar esta información alguna vez viniendo de una fuente improbable y, al mismo tiempo, un poquito inquietante. Sin embargo, el tiempo ha comprobado que mi guía espiritual estaba completamente en lo cierto.

Por ejemplo, Francine me ofreció algunas predicciones muy graves en el campo político, las cuales me temo se están convirtiendo en realidad a medida que hablamos. Por favor, tenga en cuenta que esto fue alrededor de 1970, mucho antes de la llegada del Internet y la presencia de computadores en todos los hogares. Predijo que las comunicaciones serían manipuladas y afectarían de tal manera, que la gente podría aprender a hacer bombas, controlar el sistema de salud y el transporte e incluso, instigar guerras. Una persona de nuestro grupo de investigación le preguntó por qué y ella simplemente respondió: "Para tener el control y construir un poder global". También advirtió que la oferta de los Estados Unidos podría ser igualada por otras naciones y posiblemente superada. "Entonces", alertó "esto puede convertirse en una verdadera batalla para llegar a ser la primera potencia en el planeta".

Bueno, es evidente que lo anterior ha empezado a suceder, y estamos viendo cómo en las áreas de comercio y tecnología, cada vez hay más y más naciones compitiendo por el dominio global. Aunque la mayoría seguramente empezó con buenas intenciones, a medida que el poder crece y los gobiernos tienen más dinero y trabajadores, estos tienden a volverse más corruptos. Algunas veces, es sólo una delgada línea la que separa a un líder benevolente de un tirano. Con la creciente competencia por el control de los recursos mundiales, la riqueza y la autoridad, administraciones completas, empiezan a verse comprometidas. Francine también predijo la llamada escasez de petróleo, diciendo que si se continúa atemorizando a la gente con terrorismo, problemas de transporte, desastres económicos, guerras innecesarias y derroche de los recursos naturales, al final tendremos una nación creída de sí misma y derrotada. Y, pregunto, queridos míos, ¿qué son los Estados Unidos ahora?

Pero Francine no sólo nos entregó estas devastadoras sorpresas políticas hace casi cuatro décadas, también nos dio mucha de la información que apareció en libros como: *El Código de Da Vinci* y *El Enigma Sagrado,* años antes de que salieran a la luz pública. Usted se preguntará por qué no di a conocer esa información entonces; todo lo que puedo decir es que mi frenética agenda no dejaba mucho espacio y ocupaba completamente mis días, además, tenía otras prioridades que me parecían más importantes en ese momento. Estaba llena de trabajo con las lecciones espirituales; ofreciendo consuelo en la comprensión de la vida después de la muerte, ayudando a individuos con su día a día; escribiendo y dando conferencias sobre sueños, ángeles, el Más Allá, Dios, etc. Todo esto tenía prioridad para mí porque estaba tratando de ayudar a tantos hombres y mujeres como fuera posible..., no simplemente diseminando información que por otro lado sentía de un impacto limitado.

Con la publicación de todos estos trabajos sobre la relación entre Jesucristo y María Magdalena, sumado a las sociedades secretas que mantuvieron confidencial el conocimiento sobre esa relación, empecé a sentir que había llegado el momento de poner en claro algunas cosas. También, quise darle a mis lectores una introspección sobre lo que hacen realmente estas asociaciones encubiertas, cómo trabajan y de qué manera nos afectan. Con ese objetivo, a medida que miremos cada uno de estos grupos, espero que pueda tomar sus propias decisiones acerca de ellos. De cualquier manera, si no es así, habrá obtenido una ¡increíble visión del comportamiento humano!

Lo que tienen en común esas organizaciones

Muchas de las historias de las sociedades secretas surgieron de la espiritualidad, la cual procuraron mantener "pura"; otras, fueron simplemente fraternidades por naturaleza u organizaciones informales que finalmente se disolvieron por esa razón. Mientras tanto, algunas llegaron a conseguir poder, riqueza e influencia política. La característica común a todas ellas es la unión alrededor de una causa específica. Lo trágico está en el hecho de que muchas de estas organizaciones empezaron con las mejores y más altas intenciones, que se fueron diluyendo para dejar sólo asuntos relacionados con ambición, soborno y control.

Las sociedades secretas también comparten la toma de juramento junto con las penalidades por romperlo. Dependiendo de cada grupo, el juramento puede ser tomado en una o más de las siguientes categorías, aunque cada sociedad tiene votos de acuerdo a sus necesidades específicas. A continuación, una visión general de los juramentos:

- **Juramento de confidencialidad:** algunas veces, bajo pena de muerte o frecuentemente, deben entregar dinero u otras pertenencias personales.

- **Juramento contra el cisma:** los miembros prometen no desviarse de las enseñanzas del grupo ni empezar su propia organización, basada en la misma a la cual han jurado. También prometen trabajar siempre en beneficio de la sociedad antes que en el de ellos mismos.

- **Juramento de obediencia absoluta:** los miembros prometen absoluta obediencia a las reglas y mandatos de la sociedad. Deben rendir respeto al director, maestro o fundador, y frecuentemente (pero no siempre) seguir las leyes vigentes.

- **Juramento de honestidad:** los miembros juran que nunca dirán una mentira sobre alguien de la sociedad o sobre la organización, y prometen vivir dentro del grupo con honestidad y franqueza.

- **Juramento de respaldo:** los miembros juran dar respaldo moral, espiritual e incluso financiero a la sociedad. Esto puede extenderse a la promesa de reportar cualquier conducta insidiosa que tenga el potencial de hacerle daño a la sociedad.

Penalidades

Las medidas disciplinarias por romper estos juramentos y otras reglas internas, varían con cada sociedad y pueden ir desde castigos muy severos hasta simplemente darle una palmada en las manos. Muchos de los castigos involucran la humillación pública por excomunión, ser rechazado para siempre por los otros miembros, removido de su posición o rango, o haciendo que un amigo cercano en una posición más alta sea removido de esta posición.

Algunos castigos o penalidades son tan antiguos y arcaicos que en realidad no se pueden implementar. Por ejemplo, se ha dicho (pero no está comprobado) que los miembros de la Antigua Orden Árabe de los Nobles del Relicario Místico (Shriner) tienen una acción disciplinaria en sus libros que puede resultar en la perforación del globo ocular y en la flagelación de los pies. En casos muy extremos, el castigo puede terminar en la muerte de miembros y sus familias.

Otras cosas en común

Casi todas las sociedades secretas parecen rendir pleitesía a alguna clase de divinidad o dignidad, las cuales van desde Dios hasta la doctrina del grupo o sus fundadores. Muchos miembros de las organizaciones religiosas, a menudo oran pidiendo la fuerza necesaria para mantener sus promesas.

Al margen de sus propios intereses, la mayoría de estas sociedades secretas también contiene cierto grado de lo que podríamos llamar magia. No estoy hablando de brujas o magos, sino de rituales de iniciación del individuo para entrar al grupo. Por ejemplo, en el libro *The International Encyclopedia of Secret Societies and Fraternal Orders,* Alan Axelrod dice:

> Cada generación adapta la magia para hacerla afín a sí misma. Para los romanos, alguna vez famosos por su tolerancia religiosa, pero con frecuencia acosados estrechamente desde el punto de vista político, la magia era tratada como otro riesgo político al igual que: envenenamiento, asesinato, rebelión, etc. Para los cristianos, durante el período de expansión, era una seria advertencia religiosa. Cualquier evento que no calzara dentro del orden natural de las cosas en el mundo, podía convertirse en "magia".

Son muchas las organizaciones subterráneas que han usado los llamados símbolos mágicos impregnados de misterio, los cuales no son más que herramientas para atraer nuevos miembros con rituales, cánticos, conjuros y ceremonias que involucran estrellas de cinco puntas y huesos de difuntos, entre otras cosas. Todo esto para preparar al iniciado para la aceptación dentro del grupo.

Aunque algunas de las sociedades secretas que subsisten hasta nuestros días tuvieron sus principios después de la llegada de Cristo, Francine dice que agrupaciones similares existieron en la antigua Roma, Egipto, Persia, Grecia y cualquier otro lugar donde la gente sintió que no podía vivir o rendir culto como deseaban. Si hay una verdad concerniente a las sociedades secretas, *es* que no hay verdad absoluta porque todas difieren en lo que desean lograr. Bien sean políticas, religiosas o místicas, fraternales o criminales, todas parecen sentir la necesidad de mantener cierta información lejos del conocimiento público, seguramente por temor, protección o cualquier otra causa o agenda a la que ellos estén dedicados, y además porque creen estar haciéndolo por el bien de la humanidad.

Algunas veces, guardar secretos o pertenecer a una sociedad secreta hace sentir a los individuos especiales, porque están compartiendo algo sobre lo que el común de la gente no tiene conocimiento. A medida que miramos más de cerca estas organizaciones, podemos ver cómo muchas de ellas publican sus verdades bajo el disfraz del arte, escondiendo así las claves de los mismos secretos que están protegiendo. Adicionalmente, les daré mi punto de vista sobre la mayoría de estas cosas, así como también la información que me entregara Francine durante años de trances de investigación.

Como se dice popularmente: cuando el estudiante está listo, el profesor aparece. En mi papel de instructora para este fascinante tema, he puesto todo mi esfuerzo para asegurar que lo que estoy a punto de revelar en estas páginas esté libre de parcialidad o prejuicios, pero les aseguro que *es real*.

Política versus religión

La mayoría de las sociedades secretas, si no todas, puede ser rastreadas a través de la investigación adecuada, aunque la información sobre ellas tendrá variaciones dependiendo del grado de clandestinidad de cada una. Es cierto que no hay tantas de esas organizaciones hoy en día como las hubo en siglos pasados, y que en determinados períodos de la historia parecen haber sido más numerosas que en otros. Esto probablemente es consecuencia del estado de los asuntos mundiales y la existencia diaria, cuanto más complicada sea la vida y existan menos libertades, más grupos secretos florecen.

Como está a punto de descubrir, mientras algunas de las más poderosas han sobrevivido, cientos de ellas se han dispersado o sencillamente desaparecido. Usualmente, esto sucede porque la razón de lucha del grupo sólo tuvo validez por un corto período de tiempo, por lo tanto, cuando dicho período termina, la sociedad se disipa; o el líder muere y los seguidores pierden interés.

Como he mencionado, algunas sociedades secretas se formaron antes de Cristo, pero la mayoría surgió durante la Edad Media, especialmente aquellas ligadas a aspectos místicos o religiosos. Muchos de estos grupos basados en la fe, fueron producto de las Cruzadas y de la inquebrantable posición de la Iglesia Católica de esconder la verdad sobre el nacimiento y muerte de Cristo, lo mismo que el hecho de su supervivencia después de la crucifixión. Como usted sabe, las religiones tienen sus propios intereses y pobre de aquel que se interponga en el camino de sus objetivos. El viejo refrán de juzgar a los demás por lo que hacen, y no por lo que dicen, es particularmente cierto en esto; en otras palabras, si los líderes religiosos dicen: "amarás a tu prójimo como a ti mismo", y luego matan o cometen atrocidades contra ese mismo prójimo con el objetivo de cumplir sus propios proyectos, ciertamente no están haciendo el trabajo de Dios.

Entonces, resulta ser que estas organizaciones clandestinas han mantenido secretos encubiertos relacionados con el dogma religioso y con aspectos referidos al poder y al dinero. A diferencia de las organizaciones religiosas, la mayoría de las asociaciones políticas sólo ha estado presente desde el último siglo, gracias a la creciente naturaleza global de los gobiernos. Años atrás, la iglesia y el estado se unieron para trabajar juntos y controlar al pueblo ignorante; ahora, aparentemente se ha separado... ¿pero realmente ha sucedido de esa manera? Hoy en día mientras muchos de estos grupos encubiertos caen dentro de la clasificación política o religiosa, algunos de ellos abarcan los dos campos. Por ejemplo, la masonería es una organización fraternal que ha tenido gran impacto en la esfera política y, sin embargo, también tiene matices religiosos.

En este libro explicaré que muchas de estas sociedades tienen agendas similares, a tal punto que expertos en la materia sienten que algunas de ellas, de cuando en cuando, unen fuerzas para poder avanzar en sus objetivos. También les mostraré cómo varias de esas organizaciones usan diferentes apelativos, e incluso llegan a cambiar sus nombres para evitar ser detectadas o perseguidas. Basta decir que los cambios de nombre no significan mucho, excepto para el grupo que está tratando de sobrevivir y preservar sus secretos. Es frecuente la diseminación de información falsa para cubrir su rastro o, por lo menos, poner una cortina de humo para esconder sus actividades.

Adicionalmente, voy a destacar cómo muchas de estas organizaciones clandestinas están ligadas a teorías y acciones de conspiración, que les permiten avanzar en sus proyectos particulares a largo plazo.

Cuanto más se investigue sobre las sociedades secretas, más evidente será que aún en pequeña escala, todas están ligadas, casi como los diferentes dedos de una misma mano. No obstante, decidí separar este libro en tres partes. Aunque habrá cierta superposición entre los grupos, voy a enfocarme de manera independiente en la política (primera parte) y en la religión (segunda parte). Después, en la tercera parte, voy examinar más detenidamente el lado oscuro de todos sus secretos, para mostrar cómo el temor y la intimidación han sido utilizados durante siglos por gobiernos, religiones y organizaciones clandestinas debido a su efectividad.

Hay cientos de grupos secretos y de ninguna manera pretendo cubrirlos todos en este libro. Al contrario, he tratado de mantener mi enfoque en aquellos que han sido expuestos a la luz pública o que han tenido un impacto significativo en la sociedad. También, y debido a que la cantidad de información sobre cada sociedad varía enormemente, algunos capítulos serán significativamente más largos que otros.

Mirar debajo de estas pesadas y protegidas rocas no debe causar temor; después de todo, conocimiento es igual a poder. Bienvenido al mundo de las sociedades secretas y alístese a descubrir lo que con tanto empeño y por tantos años éstas han tratado de esconder.

PRIMERA PARTE

Sociedades políticas

CAPÍTULO UNO

CALAVERA Y HUESOS

$\mathcal{E}$sta famosa organización ha sido denominada como: "el establecimiento secreto de los Estados Unidos" por el autor Antony Sutton, pero es también conocida como "la hermandad de la muerte", "la Orden", o sencillamente "Huesos".

Calavera y huesos ha estado activa en la universidad de Yale durante los últimos 150 años. También llamada "Capítulo 322", algunos afirman que es la rama de una sociedad secreta universitaria alemana. Este grupo, supuestamente, tuvo una inclinación fascista y comunista dentro de la filosofía hegeliana de "servicio al estado". Muchos teóricos de la conspiración también piensan que esta fue la infame "sociedad Thule" (cuyos miembros formaron el partido nazi) y que tiene lazos con los Iluminados (los cuales abordaré en el capítulo 11).

La rama americana de este grupo fue aparentemente fundada en 1832, en la universidad de Yale, por el distinguido universitario William Russell y su compañero Alphonso Taft. William era primo de Samuel Russell, quien hizo su fortuna con el contrabando de opio a

China, y supuestamente desarrolló una gran amistad con el líder de la sociedad universitaria clandestina durante los dos años de sus estudios en Alemania. Evidentemente, quedó tan cautivado, que consiguió el permiso de crear una división de la sociedad en Estados Unidos.

Más tarde, William Russell se convirtió en legislador por el estado de Connecticut y en General del ejército. Su compañero, Alphonso Taft, fue nombrado posteriormente Fiscal general de los Estados Unidos, ministro de guerra y embajador ante el imperio austrohúngaro y Rusia. Alphonso también fue el padre de William Howard Taft, único hombre en ostentar los dos cargos de: Presidente de la Corte Suprema de Justicia y de los Estados Unidos.

Hasta donde he podido reunir información como parte de mi investigación, la sucursal de Yale es la única que existe en los Estados Unidos, aunque algunos dicen que hay otra en la universidad Virginia Commonwealth de Richmond. Sus miembros son conocidos como "Hombres hueso", "Caballeros de Eulogia" y "Chicos corruptos", sobrenombres típicos de las fraternidades universitarias..., pero este grupo ha ido más allá de una fraternidad normal.

¿De una palmadita a presidente?

La identidad de aquellos que han sido miembros de Calavera y huesos se supone secreta, pero el grupo ha publicado listas de sus miembros, las cuales estuvieron guardadas en la biblioteca de Yale hasta 1970. Únicamente después de ese año, la membresía se había guardado en secreto. Sin embargo, varias filtraciones han ocurrido a lo largo de los años, una de las cuales fue el resultado de una intrusión y otra, debido a un socio descontento, quien entregó la lista de sus compañeros Hombres hueso a Antony Sutton a mediados de 1980. La membresía equivale a un "quién es quién" en la sociedad de la costa este, con miembros pertenecientes a las más tradicionales, acaudaladas y poderosas familias inmersas en política, banca, comercio, industria y similares. Por ejemplo, tres presidentes de los Estados Unidos (el ya mencionado Taft, junto con George H.W. Bush y George W. Bush) fueron hombres hueso. Presuntamente, el más joven de los Bush comisionó a 11 de sus antiguos "hermanos de fraternidad" durante el primer término de su administración.

La forma como se maneja en Yale el proceso de iniciación es mediante una "palmadita" (literalmente), en el cuerpo o el hombro, a algunos estudiantes de penúltimo año elegidos cuando ya están por terminar el año lectivo, invitándolos a formar parte de una sociedad exclusiva para estudiantes de último año. Esto se traduce en la selección de aproximadamente 15 nuevos miembros. Aunque los candidatos potenciales pueden rehusarse a entrar en la sociedad, recibir "la palmadita" es considerado un gran honor.

Hasta 1992 únicamente los hombres eran elegibles. A través de un referéndum secreto entre los miembros de la sociedad (supuestamente muy acalorado), se dice que ahora el grupo admite mujeres. Para ser considerado candidato, ayuda ser parte de una familia que haya tenido un miembro en la sociedad; tener acceso a riqueza y poder, ser dinámico, activo, político y recursivo. De hecho, para ser admitido en Yale se requiere de excelentes calificaciones académicas o influencia familiar, razón por la cual la Orden termina escogiendo a los mejores de los Estados Unidos.

Siendo una asociación constituida únicamente por estudiantes de último año, se puede asumir que los objetivos de Calavera y huesos probablemente tienen más que ver con intenciones hacia el mundo exterior que hacia el interior de Yale o de la "hermandad". Por esta razón, los teóricos de la conspiración tienen la oportunidad de elaborar toda clase de elucubraciones con este grupo y vincularlos con otra cantidad de organizaciones políticas encubiertas, tales como: la Comisión Trilateral, el Concejo de Relaciones Exteriores, el grupo Bilderberg y los Iluminados (todas estas asociaciones serán tratadas en este libro).

Calavera y huesos posee dos propiedades: un edificio bastante grande en el campus de Yale, llamado "la tumba," y la isla Deer, un refugio privado en el río San Lorenzo. Obviamente, ambas propiedades son para el uso exclusivo de la orden. La tumba no tiene ventanas exteriores y sus paredes están hechas de concreto, no obstante, se ha dicho que contiene muchos salones, incluyendo varias habitaciones. De acuerdo con información suministrada por alguien que ha estado en su interior, hay un salón dedicado a William H. Taft y a su presidencia, el cual es prácticamente un altar. Varias estudiantes de Yale fueron invitadas a un tour dentro de la Tumba por un miembro "disidente," y de acuerdo a su recuento, estas testigos oculares informaron que hay un salón aparentemente dedicado al régimen nazi de Alemania, incluyendo una extensa colección de objetos "conmemorativos". La testigo reportó lo siguiente:

> Había una cantidad enorme de salones, una verdadera serie de ellos. También encontramos un par de habitaciones y un monumental comedor en el cual

se veían, suspendidos del techo, diferentes pendones conteniendo cada uno canciones de Calavera y huesos. En otra parte, tienen un salón conmemorativo del presidente Taft, lleno de volantes, afiches y botones; este salón parecía el recinto sagrado de la señorita Havisham, descrito en la novela Grandes esperanzas de Charles Dickens. Una gran sala de estar, adornada con una hermosa alfombra; y en el vestíbulo, un enorme ornamento, formidable y costoso, tallado en marfil. Todo el sitio tenía una apariencia medieval. La cosa más impactante (digo esto porque de alguna manera lo considero importante, ya que todo el mundo sabe que el presidente Bush perteneció a Calavera y huesos) es la existencia de una especie de pequeño altar nazi, en una de las habitaciones del segundo piso. Allí hay un montón de cruces gamadas (esvásticas), más o menos como si fuera una iconografía SS-macho-nazi. Alguien debería preguntarle al presidente Bush sobre las esvásticas que hay allá. No creo que lo niegue y diga que no hay nada. Creo que diría: "Oh, eso no tiene importancia, es sólo una pequeña habitación". Lo cual no me parece que corresponda a la verdad y tampoco puedo decir que lo encuentre como una declaración tranquilizadora. Pero en el fondo no creo que sea capaz de negarlo del todo, porque es verdad. No creo que los objetos nazis constituyan algo más grave que todos los huesos que había alrededor, pero de todas maneras considero esto un poco desconcertante.

Los que van a ser iniciados en la orden deben acostarse desnudos en un ataúd y contar su historia sexual a los otros candidatos. Nadie sabe si esto es simplemente un rito sin malas intenciones o con propósitos ulteriores de chantaje. A los iniciados también se les asignan nombres con los cuales serán identificados por el resto de sus vidas. El más joven de los presidentes Bush lleva el nombre de "Temporal" (usted puede pensar lo que quiera de eso).

Además de presidentes, ha habido por lo menos 28 senadores o congresistas quienes pertenecieron a la orden, incluyendo a: James Buckley, Prescott Bush, John Chaffee, Thomas Ashley, Jonathan Bingham, David Boren, Thruston Morton, Robert Taft y John Kerry. Algunos otros Hombres hueso han sido miembros del gabinete presidencial en varias administraciones (tal como William A. Harriman); y la mayoría de nosotros conocemos la vinculación de George H.W. Bush con la CIA.

Algunas de las familias más tradicionales tienen vínculos con la orden a través de la pertenencia a ella de uno o más de sus descendientes, incluyendo a Whitney, Perkins, Stimson, Taft, Gilman, Wadsworth, Payne, Davidson, Pillsbury, Sloane, Weyerhaeuser, Harriman, Rockefeller, Lord, Brown, Bundy, Bush y Phelps. Sí, estos son los mismos nombres que se encuentran en marcas de productos y servicios por todo el mundo o dirigiendo enormes corporaciones en la banca y la industria, o como líderes en el campo político. Como puede ver, pertenecer a este club significa codearse con la clase social más alta del planeta.

Como corresponde a una organización clandestina, los miembros de Calavera y huesos juran no revelar nada sobre la sociedad o su afiliación a ella. Por ejemplo, tanto George W.Bush como John Kerry rehusaron referirse a la orden en entrevistas recientes, y muy pocos incluyen esta membresía en sus datos biográficos. Como el grupo sólo acepta alrededor de 15 nuevos miembros cada año, es posible que en este momento no haya más de

500 a 600 miembros vivos, de los cuales, en opinión de la mayoría de los expertos, un tercio de ellos está activo y trabajando en beneficio del grupo. También se presume que muchos de estos miembros activos están profundamente involucrados en la política o los grandes negocios. Incluso, se ha reportado que algunos están implicados en el tráfico de drogas y en varios escándalos como es el caso de: Irán-Contra, Watergate, el asesinato de JFK y tratos corruptos con China y la Unión Soviética.

Tanto si usted cree que Calavera y huesos es una poderosa sociedad secreta, o simplemente una típica fraternidad universitaria, no se puede negar el hecho evidente de que sus miembros son personas extremadamente influyentes y que han impactado en toda clase de asuntos alrededor del mundo. Si desea leer más sobre la orden, le recomiendo los siguientes libros:

- *Fleshing Out Skull & Bones: Investigations into America's Most Powerful Secret Society,* por Kris Millegan y otros.

- *America's Secret Establishment: An Introduction to the Order of Skull & Bones,* por Antony Sutton

- *Secrets of the Tomb: Skull and Bones, the Ivy League, and the Hidden Paths of Power,* por Alexandra Robbins

CAPÍTULO DOS

EL CONCEJO
DE RELACIONES
EXTERIORES

*E*l Concejo de Relaciones Exteriores (CFR por sus siglas en inglés), al cual algunas personas se refieren como un equipo de especialistas, está dedicado (según la descripción de ellos mismos) a "incrementar la comprensión del mundo por parte de los Estados Unidos, contribuyendo con ideas para su política exterior. El Concejo cumple con esta misión básicamente mediante la promoción de debates y discusiones cerrados y constructivos, aclarando tópicos mundiales y publicando la revista *Foreign Affairs*" (ver su página web: **www.cfr.org**). Aunque esta declaración de principios parece bastante inocua, muchos piensan que el CFR es quizás una de las organizaciones privadas más poderosas e influyentes en la dirección de la política exterior estadounidense, y que también está activamente involucrada en la búsqueda de un "nuevo orden mundial" (concepto que discutiré en detalle en el capítulo 12).

En su libro *The Anglo-American Establishment*, el doctor Carroll Quigley (mentor del presidente Clinton en la universidad de Georgetown) afirma que Cecil Rhodes, magnate del oro y los diamantes, formó en 1891 una sociedad secreta llamada "Sociedad de los elegidos", con el objetivo de, en palabras de Rhodes: "capturar la riqueza y gobernar el mundo entero". La sociedad encubierta de Rhodes consistía en un círculo íntimo llamado: "Círculo de iniciados", quienes, junto con una amplia colección de ayudantes, formaban los "Grupos de la mesa redonda".

Estos Grupos de la mesa redonda (unidos con los miembros de la sociedad Fabián y un grupo llamado "the Inquiry", creado por el coronel Edward House, ministro consejero del presidente Woodrow Wilson) fundaron el Instituto Real de Asuntos Internacionales en Gran Bretaña; y en 1921, su rama americana: el CFR. Dos de los miembros del CFR (Arthur Schlesinger, Jr. en su libro *A Thousand Days*, y el profesor Quigley, en su libro *Tragedy and Hope*) se han referido al mismo como el "frente" de las clases privilegiadas en el poder.

Quigley siempre ha sostenido respecto a las becas de Rhodes, que éstas no eran nada diferente a una fachada para esconder su sociedad secreta. También se refería a ellas como un campo de entrenamiento de los becarios, para obtener las habilidades necesarias en el cumplimiento de su objetivo último en función de la dominación mundial. Todo parece indicar que, efectivamente, ése era el caso; después de todo, muchos estudiantes de Rhodes, incluyendo Walt Rostow, Dean Rusk, Richard Gardner, Harlan Cleveland, J. William Fulbright, George Stephanopoulos, Robert Reich, Ira Magaziner, James Woolsey y Bill Clinton, han ostentado altas posiciones en el gobierno americano. Posiblemente, algunas personas puedan poner en duda la credibilidad de Quigley, pero no de *The Washington Post* que evidentemente sintió que la información obtenida de los "registros secretos" era válida y, consecuentemente, publicó en 1975 un artículo sobre él, titulado: "El profesor que sabía demasiado".

Aunque mis investigaciones indican que la conspiración de Cecil Rhodes terminó en algún momento alrededor del año 1960, aparentemente esto sucedió porque ya no era necesaria. En ese momento había suficientes "globalistas" (personas que proponían un gobierno mundial) en la política, economía, educación y periodismo, para mantener satisfecha a la élite del poder en pos de este Nuevo Orden Mundial.

Parte de este proceso fue un plan iniciado por William C. Whitney (antiguo miembro de Calavera y huesos) y otros, quienes querían controlar los partidos políticos de los Estados Unidos a través de contribuciones financieras. La idea original era lograr que los principales partidos políticos alternaran en el control del gobierno y, de esta manera, dar la impresión al público de que realmente tenían el poder de escoger el día de las elecciones. Eventualmente, esto evolucionó hacia convertir la filosofía de los dos grandes partidos políticos en una política de centro. Como resultado de lo anterior, los partidos demócrata y republicano se volvieron prácticamente iguales en su naturaleza, de tal manera que aunque los americanos intentaran en una elección "sacar a los pillos del poder", no se produciría un cambio mayor en la política.

Es sorprendente ver cuántos miembros del gobierno, del sector educacional, los militares, la industria y los medios tienen afiliaciones con Calavera y huesos, CFR, las becas de Rhodes y la Comisión Trilateral (sobre la cual hablaremos en el siguiente capítulo). Todos estos grupos parecen tener objetivos globales y, ciertamente, han logrado colocar en su lugar a la gente necesaria para

llevar esta agenda hacia delante. La membresía del CFR
está constituida por actuales y antiguos presidentes de
los Estados Unidos, embajadores, secretarios de estado,
inversionistas de Wall Street, banqueros, ejecutivos de
fundaciones, líderes de grupos de especialistas, abogados
influyentes, oficiales del ejército, industriales, propietarios
y ejecutivos de medios de comunicación, presidentes y
profesores claves de universidades, miembros selectos
del Congreso, jueces de la Corte Suprema de Justicia,
jueces federales y empresarios acaudalados. Tal parece
que tienen todas las bases bien cubiertas, especialmente
cuando nos damos cuenta que personajes de gobiernos
extranjeros y jefes de estado también están involucrados
con organizaciones hermanas del CFR (como el ya
mencionado Instituto Real de Asuntos Internacionales).

Algunas personas afirman que el CFR no es realmente
una sociedad secreta porque presenta informes anuales,
publica una revista y provee al público la lista de sus
miembros. Todo eso es verdad..., pero también lo es la
condición para los miembros de no revelar nada de lo que
suceda o se discuta en sus reuniones. Tienen reuniones
confidenciales con regularidad y a veces realizan
conferencias públicas a la cual es invitada la prensa, para
de esta manera aparecer como un grupo inofensivo cuya
agenda es ayudar a los Estados Unidos.

En orden alfabético, encontramos a continuación
algunos de los más destacados miembros del CFR, junto
con el papel desempeñado por cada uno en las clases
privilegiadas del poder en los Estados Unidos, hasta el
momento:

- Richard V. Allen (antiguo consejero
  nacional de seguridad).

- John Bolton (antiguo embajador ante las Naciones Unidas)
- William F. Buckley, Jr. (fundador de *National Review*)
- George H. W. Bush (ex-presidente de los Estados Unidos y ex-director de la CIA)
- Jimmy Carter (ex- presidente)
- Dick Cheney (actual vicepresidente)
- Bill Clinton (ex-presidente; miembro actual de la Comisión Trilateral y del grupo Bilderberg)
- John Edwards (antiguo senador por Carolina del Norte)
- Dwight D. Eisenhower (ex-presidente)
- Anne Garrels (actual corresponsal de National Public Radio)
- Timothy F. Geithner (presidente actual del Banco de la Reserva Federal de Nueva York)
- Newt Gingrich (antiguo presidente de la Cámara de Representantes)
- Alan Greenspan (antiguo presidente del directorio de gobernadores de la Reserva Federal)
- Katherine Harris (antigua representante de la Cámara por la Florida)
- Herbert Hoover (ex-presidente)
- Jack Kemp (antiguo representante de Nueva York)
- John Kerry (senador de Massachusetts)

- Henry Kissinger (antiguo consejero de seguridad nacional y secretario de estado; actual miembro de la Comisión Trilateral y del grupo Bilderberg)

- Lyman Lemnitzer (antiguo jefe del estado mayor)

- Robert S. McNamara (antiguo secretario de defensa y presidente del Banco Mundial)

- Richard Nixon (ex -presidente)

- Colin Powell (antiguo secretario de estado)

- Dan Rather (antiguo director del noticiero vespertino de *CBS)*

- Condoleezza Rice (secretaria de Estado; antigua consejera de seguridad nacional)

- David Rockefeller (antiguo presidente de la Comisión Trilateral y miembro del grupo Bilderberg)

- Donald Rumsfeld (antiguo secretario de defensa)

- Paul Wolfowitz (antiguo subsecretario de defensa; actual presidente del Banco Mundial)

Hay muchos más individuos a quienes podríamos mencionar aquí, pero mi intención es solamente mostrarle cuánto poder, riqueza e influencia reúne la membresía del CFR, especialmente si agregamos el hecho de que algunos de estos hombres y mujeres también pertenecen a Calavera y huesos, la Comisión Trilateral y el grupo Bilderberg. Seguramente, alguien afirmaría que estos líderes de los Estados Unidos son simplemente buenos amigos que por casualidad forman parte de las mismas organizaciones, pero yo no los veo a todos ellos perteneciendo al YMCA (asociación cristiana de jóvenes, por sus siglas en inglés), ¿los ve usted? Encuentro que donde hay humo, hay fuego... entonces, no hay por qué sorprendernos de que los teóricos de las conspiraciones estén gritando con todas sus fuerzas sobre este ardiente infierno.

De hecho, nada menos que el famoso autor H.G.Wells fue quien expuso a la luz pública esta sociedad secreta y sus objetivos. Wells era miembro de la sociedad Fabián (un movimiento intelectual socialista británico) y se retiró abruptamente cuando ellos no quisieron hacer públicos (con los cuales Wells estaba de acuerdo) sus objetivos. Escribió varios libros haciendo un bosquejo de lo que llamó: "la conspiración abierta", incluyendo: *New Worlds for Old; The Open Conspiracy: Blueprints for a World Revolution;* y *The New World Order,* títulos todos que le recomiendo consultar.

CAPÍTULO TRES

LA COMISIÓN
TRILATERAL

*C*uando se habla de las organizaciones políticas encubiertas modernas, hay un nombre que está en boca de casi todos los teóricos de las conspiraciones: David Rockefeller. Ahora, adivine quién tuvo la idea original de crear la Comisión Trilateral (TC por sus siglas en inglés). Ajá... ese mismo.

El señor Rockefeller tenía 92 años de edad en junio de 2007 cuando fue listado en el lugar 215 de las personas más ricas en el mundo. Ha estado profundamente involucrado con el Concejo de Relaciones Exteriores (CFR) y el grupo Bilderberg (BG por sus siglas en inglés), y junto con Henry Kissinger y el antiguo consejero de seguridad nacional, Zbigniew Brzezinski, fundó la TC en 1973. La membresía de esta organización secreta está constituida por 300 a 350 ciudadanos de Europa, el sureste de Asia (Asia y Oceanía) y Norteamérica, quienes persiguen el propósito de crear una estrecha cooperación entre estas tres áreas del mundo.

Bill Clinton, George H. W. Bush, Jimmy Carter, Dick Cheney y la senadora Dianne Feinstein, son actuales o antiguos miembros de la TC, y casi todos pertenecen también al CFR. Hay también demasiados individuos destacados para mencionarlos aquí, pero es suficiente decir que hay una gran cantidad de poder e influencia acumulada por los miembros de la TC. Para ilustrar esto, basta con dar una mirada a la elección de Jimmy Carter como Presidente de los Estados Unidos.

Aproximadamente, 7 meses antes de la Convención Nacional del partido demócrata en 1976, una encuesta Gallup reveló que menos de un 4 por ciento de los demócratas apoyaban la candidatura del señor Carter a la presidencia...; fue entonces cuando la TC lo acogió bajo sus alas. Movilizaron el poder y el dinero de los banqueros de Wall Street, la comunidad académica y los controladores de medios quienes a su vez eran miembros del CFR y de la TC para tratar de lograr la nominación del gobernador de Georgia. Prácticamente, de la noche a la mañana, como caído del cielo, Carter fue nominado; y más tarde se convirtió en presidente. Este ejemplo nos muestra claramente el gran poder de este grupo. Con esa finalidad, el antiguo senador y candidato presidencial Barry Goldwater una vez dijo, que "la TC estaba diseñada como el vehículo para la consolidación multinacional de los intereses bancarios y comerciales, apoderándose y tomando control de la política gubernamental de los Estados Unidos". Éstas parecen palabras muy fuertes, hasta que nos damos cuenta que el señor Goldwater fue un acérrimo oponente del CFR y de David Rockefeller.

La TC se reúne anualmente en Europa, Norteamérica o Asia y a sus miembros (igual que en el CFR), no les está permitido hablar públicamente sobre los procedimientos y rutinas. Igual que el CFR, la TC publica una revista, da a conocer informes anuales y niega ser una sociedad secreta. Mientras la mayoría de los teóricos de las conspiraciones creen que el CFR y la TC están compuestos por individuos con buenas intenciones, estos investigadores señalan que el círculo íntimo de la organización está obsesionado con la agenda de lograr un Nuevo Orden Mundial bajo un único gobierno.

Mis investigaciones señalan que la mayor parte de los individuos que forman la TC y el CFR son personas honestas. Todo parece indicar que los niveles más altos de estos grupos no les están diciendo a sus miembros exactamente lo que está sucediendo tras bastidores, y usan la retroalimentación para favorecer sus propios intereses. No puedo decir que los que están en control son malvados, porque ellos, por su parte, están convencidos de que lo que están haciendo *es* en beneficio del mundo.

El tema relacionado con los peligros que representaría el Nuevo Orden Mundial es una cuestión de opinión; y ciertamente, creo que la mayoría de los americanos no desearía que eso ocurriera. Si ése es el caso, entonces debemos estar vigilantes y seguir de cerca las acciones tanto del CFR como de la TC. Después de todo, cuanto más sepamos, mejor preparados estaremos para apoyar *o* luchar en contra de algo. (De nuevo, estaré analizando este tema en más detalle en el capítulo 12).

CAPÍTULO CUATRO

EL GRUPO BILDERBERG

*A*hora vamos a dar una mirada a otra asociación que ha sido ligada tanto al Consejo de Relaciones Exteriores (CFR) y a la Comisión Trilateral (TC), como también a la causa de la globalización. El grupo Bilderberg (BG por sus siglas en inglés) fue iniciado por Joseph Retinger, emigrante polaco y consejero político, quien también fuera su primer secretario permanente. La intención de la sociedad, tal como fue hecha pública, era promover un mejor entendimiento entre Europa y los Estados Unidos.

La denominación de BG evidentemente proviene del lugar donde se realizó la primera reunión, que se llevó a cabo en mayo de 1954, en el hotel de Bilderberg en Oosterbeek (cerca de Arnhem), en Holanda. Actualmente, esta organización realiza una conferencia anual de cuatro días en un hotel o centro turístico cinco estrellas, usualmente en Europa, aunque también hay varios eventos que tienen lugar en los Estados Unidos y Canadá.

A pesar de que el BG no es considerado como un club, muchos de los invitados son personas que asisten regularmente; y cada año hay alrededor de 100 invitados escogidos por el comité organizador para asistir a la conferencia anual. Aunque estas reuniones no son difundidas, los lugares y horas, junto con la lista de asistentes, *están* disponibles para conocimiento del público. Sin embargo, lo que se discute dentro de la conferencia *no* lo es, y nuevamente, sus miembros deben jurar que nunca divulgarán lo que ocurre durante esas sesiones. Al parecer esto es así para asegurarse que nadie vaya a ser citado de manera errónea. No obstante, algunos miembros de los medios pueden asistir, pero igualmente se les solicita mantener silencio respecto a lo que sucede durante las conferencias. Es este tipo de reserva lo que dispara las alarmas en los teóricos de las conspiraciones.

Dentro de los asistentes regulares se encuentran: directores de los bancos centrales, expertos en defensa, primeros ministros, representantes de la realeza, magnates de los medios masivos, ministros de gobierno, financieros internacionales y líderes políticos de Europa y América. En la lista de invitados distinguidos han estado los presidentes: Bill Clinton, George H. W. Bush, Gerald Ford y Ronald Reagan, junto con sus viejos camaradas David Rockefeller y Henry Kissinger, y otra buena cantidad de miembros de la TC y del CFR. ¡Aparentemente, toda la pandilla está aquí!

No quiero sonar excesivamente recelosa, pero es interesante mencionar cómo las mismas personas que pertenecen a estas sociedades, son las que comparten la perspectiva de la globalización mediante un único gobierno mundial. También parecen preocupadas por preparar o entrenar nuevos talentos, quienes puedan ser capaces de ascender la escalera del poder alcanzando posiciones importantes en el gobierno, comercio e industria. Esta es una de las manifestaciones de poder característica de las clases privilegiadas, es decir, si usted está respaldado por ellos, prácticamente tiene la posibilidad de obtener ciertos niveles de influencia... mientras permanezca fiel a los propósitos del grupo.

El centro de interés del Concejo de Relaciones exteriores, la Comisión Trilateral y el grupo Bilderberg se ha concentrado en una forma de regionalización, lo que a su vez es un paso más hacia el objetivo de crear el gobierno único mundial. Yo creo que la mayoría de los miembros de estas organizaciones son buenas personas, sin ninguna intención malvada y, especialmente, aquellos que manejan los "hilos del poder", probablemente tengan motivos altruistas para expandir el poder y la riqueza sobre los cuales tienen control.

Sin embargo, me doy cuenta que el poder ciertamente puede corromper y que el concepto de un Nuevo Orden Mundial sería muy difícil de lograr, especialmente cuando la mayoría de las personas estarían dispuestas a morir con tal de mantener su identidad nacional. Honestamente, pienso que este objetivo no podrá fructificar más allá de la regionalización con propósitos de defensa y economía. Una advertencia final: si las Naciones Unidas continúan recibiendo más y más poder para intervenir en los asuntos mundiales, todos debemos estar muy alerta.

CAPÍTULO CINCO

LOS
MASONES

*L*a masonería es una de las sociedades secretas sobre las que más se ha hablado en el mundo; y se encuentra tal cantidad de libros sobre el tema, que podrían ocupar completamente el espacio de una biblioteca. No son sólo los voluminosos tratados los que hacen intimidante la exploración sobre este grupo, es también la variedad de ideas, teorías e historias que se disparan en todas las direcciones. En otras palabras, mis queridos lectores, ¡hay una cantidad abrumadora de información disponible sobre los masones!

Antes de empezar a escribir este capítulo miré el piso, que estaba completamente cubierto por materiales de investigación, y todo lo que hice fue mover la cabeza desconsoladamente: realmente, no quería explorar dentro de toda esa información. Les daré un ejemplo de las notas tomadas cuando empecé mi búsqueda: *Ah, aquí vamos... algunos trabajos sobre los inicios de la masonería. Veamos, este libro dice que empezaron a comienzos del siglo XVII en Escocia. Sin embargo, este otro afirma que los comienzos fueron en el siglo XIV y otro más dice que empezaron con los*

Caballeros Templarios. Hasta el momento estoy bateando todas las bolas, tres libros y tres respuestas diferentes. Tratemos con otro y veamos si podemos lograr algún consenso. Este documento dice que empezaron con la construcción del templo del Rey Salomón y su fundador, un arquitecto llamado Hiram. Otro libro (¡soy muy persistente!) *insiste que la masonería empezó con Adán. ¿Quién es el siguiente? ¿Dios?*

Sé que estoy siendo un poquito sarcástica, pero la verdad, he descubierto que cuando hay muchos escritos sobre un tema en particular, el mismo es invariablemente controversial, pudiendo ser un tema que genera amor u odio. El material publicado sobre la masonería no difiere mucho del que se encuentra sobre otras organizaciones encubiertas, en el sentido de que el grupo tiene sus detractores y fanáticos, junto con las inevitables historias de conspiraciones y complots. ¡Hay tanta información que se me hace difícil avanzar!

De hecho, denominar a la masonería como grupo clandestino es probablemente inapropiado, particularmente tomando en consideración que en años recientes sus miembros han declarado que la organización ya no es una sociedad secreta, y en su lugar la han definido como una sociedad con secretos. Yo tiendo a estar de acuerdo con esta afirmación. Después de que muchos de sus antiguos miembros han escrito artículos sobre los rituales masones, cualquiera se pregunta si se ha dejado algún misterio sin revelar. Sin embargo, los teóricos de las conspiraciones todavía se entretienen con este grupo y no veo que esto vaya a cambiar mucho en el futuro. Dondequiera que se reúnan personas para llevar a cabo rituales en privado, siempre habrá alguien dispuesto a decir que de alguna manera están conspirando contra el mundo.

La humanidad siempre ha sospechado de quien hace las cosas "por debajo de la mesa" y así debe ser. Este recelo ayuda a mantener el sistema de restricciones y chequeos en su lugar, muy parecido a como funciona el gobierno de los Estados Unidos. Aunque está por verse si estos mecanismos de control continuarán operando como fueron concebidos en un mundo donde el terrorismo está fuera de control, ocasionando que muchas de las libertades de los estadounidenses se estén perdiendo..., pero ese es un tema para otra ocasión.

Una cofradía de trabajadores

Como usted mismo puede deducir por mis notas al inicio de este capítulo, los orígenes de la masonería son extremadamente confusos. Hay tantas hipótesis sobre la formación del grupo como historiadores y académicos, siendo esto especialmente cierto debido a que los mitos y las leyendas se han mezclado con los hechos.

Exploremos de dónde salió el nombre de los masones. La mayoría de los académicos coinciden en tres explicaciones similares:

1. Los primeros talladores de piedra (stonemasons en inglés), fueron en general hombres libres. Hubo un tiempo en que las diferentes habilidades relacionadas con la albañilería (masonry en inglés) eran muy apreciadas debido a la gran cantidad de templos, castillos y catedrales construídos. Los albañiles (masons en inglés) y otros artesanos, a diferencia de los siervos y

granjeros, obtuvieron su libertad gracias a sus conocimientos en la construcción, pudiendo viajar a donde quisieran para trabajar. Consecuentemente, empezaron a ser llamados: "albañiles libres" (freemen masons en inglés), nombre posteriormente abreviado a una sola palabra: "masones" (freemasons en inglés).

2. Los albañiles trabajaban en piedra de cantera (freestone) y, consecuentemente, fueron llamados: "freestone masons", palabra, al igual que en el anterior caso, abreviada a: "freemasons" (francmasones).

3. La última y probable mejor explicación viene del término francés *franc-macon*, que se refiere a un albañil al que se le ha dado un contrato por parte de una iglesia para trabajar en su propiedad y, por consiguiente, es exonerado (franc en francés) del pago de impuestos o cualquier regulación del rey o la municipalidad local.

Una de las principales tradiciones de la masonería surgió cuando los albañiles se juntaban para construir un gran edificio. Primero, erigían un "alojamiento o logia" donde dormían, vivían y se alimentaban mientras se completaba el proyecto; dependiendo del tiempo necesario para finalizar la construcción, estas logias podían ser temporales (por unos pocos meses) o considerablemente mayores y permanentes (varios años de trabajo). Estas estructuras evolucionaron en los templos masones modernos, que son sus centros de gobierno. (Hablaré más sobre las Logias en el capítulo siguiente).

La historia relata que las cofradías de trabajadores (primeros sindicatos) existieron mucho antes de Cristo.

Son mencionadas tanto en documentos griegos como romanos y, Francine, mi guía espiritual, dice que la masonería, como la conocemos en la actualidad, empezó alrededor del año 300 d.c. Es muy interesante destacar que ese período de tiempo coincide con el principio del Oscurantismo y el reconocimiento de la cristiandad por parte del Imperio Romano.

Francine declara que la masonería empezó como una medida adicional de protección, para asegurar que los trabajadores empleados por la Iglesia Católica no tuvieran la tentación de hablar sobre secretos centenarios que pudieran haber descubierto durante la construcción. Ella dice que aunque la sociedad no se originó en Egipto, el conocimiento de antiguos misterios egipcios y persas fue absorbido por los masones que trabajaron en esas áreas. Mientras les construían sus templos, mezquitas e iglesias coptas, estos trabajadores se relacionaron con muchos religiosos, arquitectos y académicos poseedores de gran cantidad de información confidencial, incluyendo secretos de la construcción así como información esotérica, la cual fue posteriormente transmitida a sus compañeros masones.

Seguramente, usted recordará que aunque estas fueron las épocas del Oscurantismo en Europa, el mundo Islámico estaba floreciendo y atravesando una verdadera edad de oro en lo relacionado con la ciencia, las artes y el comercio donde estaban haciendo grandes progresos. Consecuentemente, la masonería se convirtió en una cofradía de trabajadores que también tuvo acceso a los misterios del Medio Oriente, junto con la gran destreza de esa región en el arte de la construcción. Con el mundo político y religioso en un estado de cambio constante, los artesanos pensaron que lo más prudente era guardar el conocimiento para ellos mismos, mediante la formación de una sociedad secreta originada en la cofradía de trabajadores. Además de los secretos sobre construcción, el conocimiento esotérico acumulado fue utilizado para ayudarlos en la formación de lazos de cercanía y fraternidad.

Una hermandad no religiosa

Debido a la necesidad de estar viajando constantemente, se generó una gran diversidad dentro de los masones, la cual era necesaria para que pudieran construir en diferentes áreas. Esto provocó que los miembros llegaran de varios países, etnias y religiones, convirtiendo a los masones en un crisol de culturas, unidas por la necesidad originada de la abrumadora demanda de su trabajo altamente especializado. En circunstancias normales, esto bien podría haber causado algunos problemas, como sucede frecuentemente con otros grupos de artesanos. Sin embargo, el advenimiento de la masonería solucionó muchas de estas preocupaciones y los hizo una de las más sólidas cofradías existentes.

Francine dice que en Roma, en el año 300 d.C, un grupo de masones que estaba trabajando en proyectos locales empezó a interactuar sobre los problemas que enfrentaban. Hubo varias riñas, e incluso uno o dos asesinatos, básicamente debido a las diferencias culturales y religiosas de los trabajadores. Estos altercados produjeron demoras en la construcción, lo que significó pérdida de tiempo y de salarios. Lo anterior generó la necesidad de involucrar al ejército (debe recordarse que en ese punto de la historia, el Imperio Romano todavía tenía el control). En vista de que el clima religioso y social era bastante delicado con un grupo que se llamaba a sí mismo "cristianos" haciendo estragos, y las fronteras romanas estaban constantemente asediadas por revueltas, los soldados no eran exactamente muy gentiles en la forma de manejar a los alborotadores. Esto provocó más daños y pérdida de tiempo para los albañiles..., problemas que fueron resueltos mediante la formación de su propia organización encubierta.

De acuerdo con lo dicho por Francine, todos los albañiles se juntaron en una gran reunión. Sabiendo que es característico de la naturaleza humana sentarse con sus amigos o círculos de personas afines desde el punto de vista étnico o religioso, la cofradía seleccionó a varios miembros por cada uno de estos grupos, poniéndolos junto con los tres supervisores superiores, para formar una especie de concejo, el cual debía encontrar soluciones para los problemas que estaban ocurriendo. Todas las cofradías de trabajadores tenían sus reglas y regulaciones tal como sucede con los sindicatos modernos, pero en este caso, en lugar de expandir las reglas existentes, decidieron un curso de acción diferente.

Dice Francine que les tomó un tiempo, pero eventualmente fueron capaces de crear un plan para una organización completamente nueva. Explica cómo fue que se dieron cuenta que las "reglas de la cofradía" tradicionales no eran suficientes y resolvieron extender el propósito del grupo más allá de la organización de los albañiles, formando una hermandad. De acuerdo con Francine, una de las primeras cosas que hicieron fue constituir la hermandad como una organización no religiosa, reconociendo un "creador universal" que pudiera ser aceptado por cualquier religión conocida. Esto significó que, independientemente de si usted adoraba un dios griego, romano, persa, egipcio, dioses del lejano este, Jehová o el nuevo Dios de los cristianos llamado Jesucristo (el islamismo no había sido fundado todavía), todos eran acogidos bajo la misma sombrilla. Esto era un concepto innovador y ambicioso para la época, ya que enfatizaba la tolerancia religiosa.

Adicionalmente, Francine señala que los masones tomaron todo su conocimiento de la construcción y los misterios de la antigua Persia y Egipto, clasificándolo en lo que podría llamarse categorías, parecidas a las que se relacionan con las habilidades de las personas, como: "aprendiz", "jornalero", etc. según existen en el día de hoy. De esta manera, se aseguraban que cuando alguien de la cofradía quisiera avanzar a través de los niveles del conocimiento, podía hacerlo de la misma forma que lo hacía con las habilidades de su profesión.

Francine afirma que todo esto lo coronaban con pompa y solemnidad promoviendo rituales para cada nivel de conocimiento, así como ceremonias de iniciación. Crearon símbolos y títulos para los diversos niveles, otorgando un sentimiento de valor a aquellas personas que lograban avanzar hasta ciertos grados. Utilizando la simbología de las enseñanzas esotéricas aprendidas en las culturas para las cuales trabajaron por años, cada nivel se convirtió en la oportunidad de obtener mayor conocimiento, y al mismo tiempo elevar los valores propios de moralidad y bondad. De esta manera, un masón podría convertirse no sólo en un trabajador calificado, *sino* también en un ciudadano sobresaliente. La esperanza de los "padres fundadores" se centró en la expectativa de que esta organización les ayudara a resolver los problemas que estaban teniendo en su localidad. No tenían ni la menor idea de la enorme organización en que se iba a convertir y el gran impacto que tendría en el mundo.

Continuando con lo dicho por Francine, las primeras épocas de la masonería fueron mucho más rudimentarias de lo que son hoy; por ejemplo, había menos niveles (o lo que ellos llaman ahora "grados"), las ceremonias no eran muy elaboradas ni de larga duración y las vestiduras especiales eran mínimas. Sin embargo, anota que mantenían reuniones regulares para solucionar dificultades y promover reformas cuando se justificaban, y prácticamente todos los albañiles en Roma se asociaron a esta nueva organización.

Los masones adoptaron inicialmente un sistema de jerarquías basado en el conocimiento y las habilidades (el cual continúa hasta hoy), y a medida que salieron de Roma para trabajar en otros lugares del mundo, llevaron consigo el amor por su sociedad recientemente fundada. Cuando la hermandad empezó a expandirse rápidamente a otras ciudades y países, los miembros pensaron en crear una forma de reconocerse, y de allí surgió un lenguaje secreto de símbolos. También, y debido a la curiosidad de personas ajenas a la organización, debieron pensar en formas que les permitieran mantener el conocimiento, los rituales y los principios de la organización tan secretos como fuera posible, lo cual generó la necesidad de poner en vigencia nuevos juramentos para los miembros.

La Iglesia Católica Romana fue especialmente dura con aquellos que tenían alguna forma de tolerancia religiosa o que se pudiera pensar tuvieran conocimientos blasfemos, ocasionando que los primeros masones fueran puestos con frecuencia entre la espada y la pared. Como se puede ver, y debido a que la mayoría de los proyectos fueron promovidos y pagados por la Iglesia, los masones debían lograr un balance entre los deseos de sus empleadores y la debida lealtad a la masonería. Si combinamos esto con la paranoia y el celo de la Iglesia Católica para atrapar y castigar a los herejes, tenemos la receta para una situación muy compleja.

Los masones nunca pensaron que hubiera nada malo con su organización, pero la Iglesia no era una entidad inclinada a perdonar y ha estado en conflicto con la masonería de diversas maneras a través de la historia. Así como sucedió con otras incontables organizaciones encubiertas, la Iglesia forzó a los masones a volverse cada vez más clandestinos para sobrevivir.

Ahora quisiera tocar brevemente la época de los masones y los Caballeros Templarios (exploraremos a los Caballeros Templarios en detalle en el próximo capítulo). Mientras mucha gente piensa que los masones se originaron o salieron de los Caballeros Templarios, Francine dice que esto no es cierto. La realidad es que los dos grupos tuvieron una considerable interacción debido a la cantidad de proyectos de construcción en los cuales los templarios contrataron albañiles.

En su arquitectura, los templarios usaban lo que llamaron "geometría sagrada", parte de la cual involucraba la construcción de iglesias en patrones circulares y poligonales, como la Cúpula de la Roca y el Octágono de la Iglesia del Santo Sepulcro en Jerusalén. (Ejemplos de ese tipo de edificios son el Temple Church en Londres y la Catedral de Nuestra Señora de Chartres en Francia). Sin embargo, la mayoría de las estructuras templarias fueron construidas siguiendo los estilos de su localización particular. Algunos dicen que esto fue una acción dirigida a ahorrar costos, porque aunque los templarios tenían mucho dinero, no podían darse el lujo de elaborar un costoso diseño para cada uno de sus edificios.

Se estima que para comienzos de 1170, más de 80 catedrales y 500 abadías fueron construidas en Francia únicamente, con la ayuda o influencia de los templarios. Los masones estuvieron con ellos en todos esos proyectos y esta colaboración duró hasta la desaparición de los Caballeros Templarios en 1312. Francine está segura, y yo también, que los dos grupos tuvieron acceso a la verdad sobre Cristo (favor consultar el capítulo 14 sobre este tema), aunque dice que los masones no estarían dispuestos a admitirlo hoy en día.

Con la desaparición de los Caballeros Templarios, la Masonería se volvió poco a poco una entidad más encubierta, con el propósito de evitar ser atrapada en lo que en ese momento se había convertido en una paranoia por parte de la Iglesia Católica y su Inquisición. En el siglo XVI, la Reforma entró en escena y los católicos estaban tan ocupados combatiendo el recién formado protestantismo, que dejaron de vigilar a las sociedades secretas como lo habían hecho en el pasado. Esto permitió a la masonería actuar de manera abierta nuevamente. Sin embargo, no fue sino hasta la última parte del siglo XVII, cuando la masonería realmente cambió su curso y empezó a convertirse en la organización que es actualmente.

Las grandes logias y una nueva era

Quisiera hacer hincapié en el hecho de que la formación de una cofradía de trabajadores no significaba necesariamente la creación de una sociedad secreta. Debemos recordar que, en la parte de la historia en que nos hemos concentrado, la mayoría de las personas carecían de educación, especialmente en Europa. Los grupos de artesanos se formaron para ayudar a sus miembros a ganarse la vida y sostener a sus familias. *Supervivencia* era la palabra clave en el orden del día.

Regresando a la masonería, vamos a examinar su evolución en dos partes:

1. La historia inicial del grupo, en la cual estuvo confinado "sólo para artesanos"

2. La admisión en sus filas de no artesanos empezando en el siglo XVII

Estos dos períodos son como el día y la noche, si tomamos en cuenta que la organización fraternal compuesta por expertos artesanos, se convirtió virtualmente de la noche a la mañana, en lo que puede llamarse un educado "club de caballeros". Con la entrada de las clases acomodadas, las conversaciones evolucionaron de temas relacionados con la construcción, a aspectos filosóficos y obras filantrópicas. Esto fue una especie de nuevo despertar, provocado súbitamente por la influencia de los nuevos miembros, muchos de los cuales empezaron a estar cada vez más fascinados con las antiguas enseñanzas, que la sociedad había transmitido de generación en generación por cientos de años.

La mayoría de los académicos e historiadores cree que el apogeo de la masonería se produjo en los siglos XVIII y XIX..., y este es el mismo período en que los teóricos de las conspiraciones aparecieron en manadas a acusar a la organización de casi cualquier cosa que sucediera bajo el sol. Sacando conclusiones de toda la información que he logrado reunir, el cambio de cofradía exclusivamente compuesta de trabajadores ("operarios") albañiles, a una en la cual se permitió ingresar a cualquier persona, empezó en el siglo XVII en las logias escocesas. Los primeros registros de miembros no operarios que participaron en reuniones, se remontan a la logia de Edimburgo en junio de 1600; mientras que el registro de la primera ceremonia de iniciación de ese tipo de miembros en la misma logia, data de julio de 1634.

La primera Gran Logia Masónica fue fundada en Londres en el año 1717, donde existían cuatro logias que fueron fusionadas, no sin algunos problemas, englobándolas dentro de una misma jurisdicción. Posteriormente, fue conocida como la "Gran Logia Unida de Inglaterra" (UGLE por sus siglas en inglés). Por muchos años otras logias en Inglaterra se rehusaron a formar parte de la recientemente fundada Gran Logia, y en su lugar, constituyeron una propia. Esta última fue llamada "Logias de Saint John" y sus miembros conocidos como: "antiguos", "viejos masones" o "masones de Saint John". Ellos llamaban irónicamente a la primera Gran Logia los "modernos"; de esta manera quedaron: la Gran Logia de "modernos" y la Gran Logia de "antiguos". Las dos finalmente se fusionaron en 1813 para convertirse en la Gran Logia de Inglaterra, considerada la Gran Logia más antigua en existencia, implantando un tipo de masonería que empezó a ser emulado por la mayoría de los miembros alrededor del mundo.

La jurisdicción más antigua en Europa es la "Grand Orient de France (GOdF)" fundada en 1733. Inicialmente, la GOdF mantuvo buenas relaciones con la UGLE, pero en 1877 se desarrolló un "gran cisma" cuando la GOdF tomó la decisión de admitir ateos (para esta época ya se aceptaban mujeres en la masonería). Desde ese entonces, exceptuando algunos períodos menores de "tregua", las dos logias no han tenido ningún tipo de relación formal entre ellas.

Otra Gran Logia francesa, la "Grande Loge Nationale Française (GLNF)," es actualmente la única que tiene relaciones formales con la UGLE. Debido a este rompimiento, la masonería de hoy en día tiene dos diferentes ramas:

1. La UGLE en concordancia con la jurisdicción y denominación: *Amistad de las Grandes Logias*

2. Las que están bajo la jurisdicción y tradición de la GOdF, denominadas como: *Amistad Gran Oriente.*

En la mayoría de los países latinoamericanos predomina la tradición de GOdF (aunque casi todas las logias mantienen relaciones formales con la UGLE), mientras en el resto del mundo predomina la tradición UGLE con pequeñas variaciones.

En otras palabras, la masonería no siempre comparte las mismas filosofías, lo cual puede ser una explicación al por qué no existe una organización estructurada o autoridad central. Aunque las Grandes Logias gobiernan jurisdicciones que pueden incluir a otras grandes logias, o a una porción o sección de su territorio, no hay una que esté por encima de todas las demás. De hecho, cada logia tiene mucha autonomía sobre sus propios asuntos, y la orden prefiere mantenerlo de esa manera. La masonería, consecuentemente, parece estar constituida por logias individuales que están bajo la jurisdicción de una Gran Logia determinada, que a su vez puede o no caer bajo la jurisdicción de otra Gran Logia.

La masonería podría compararse a un edredón gigante, con pequeños parches (logias individuales) que a su vez forman cuadrados (Grandes Logias), las cuales se convierten en una sección (mayores Grandes Logias), no siendo ninguna de estas grandes logias el total del edredón (o sea, ninguna gobierna sobre todas las demás). Aparentemente, esto funciona muy bien para la autonomía de las logias, por ejemplo, permitiendo a los que tienen una determinada procedencia cultural o religiosa estar separados de los que no piensan de manera similar. De esta manera, una logia en un pueblo europeo no entrará en conflicto con otra en un vecindario americano, pudiendo tener ritos y rituales diferentes.

Esto nos lleva a lo que los masones llaman "regularidad", que se refiere a la forma como las Grandes Logias se dan mutuo reconocimiento. Este reconocimiento permite a los miembros de una logia visitar y asistir a reuniones en la jurisdicción de otra Gran Logia, si ellos han sido reconocidos y viceversa. Es una forma simple para que un masón pueda visitar otra parte del mundo y participar de los rituales de la hermandad en una ambientación diferente. Las logias que se reconocen mutuamente, son conocidas como estar *in amity*. Cuando se trata de las grandes Logias como la UGLE y la GOdF que *no* están *in amity*, no se permite interacción formal entre ellas o sus jurisdicciones; no obstante, se pueden arreglar visitas informales sujetas a ciertas restricciones.

La logia individual constituye el elemento fundamental de la masonería. Cuando se reúnen los miembros, lo hacen *como* logia. Es inapropiado decir que la reunión tiene lugar *en* la logia. Aunque de hecho se reúnen en estructuras que ellos llaman "logia", "templo" (de arte y filosofía), "vestíbulo" o "centro"; se considera que la logia está constituida por los miembros y no por el edificio en el cual se están reuniendo. Las primeras logias se reunían en tabernas y lugares públicos, y no es extraño que en el presente diferentes logias compartan el mismo edificio.

Los requisitos para convertirse en un miembro de la masonería no son tan rigurosos: un candidato potencial solamente tiene que aplicar a la logia local correspondiente, pidiéndole a un miembro activo que lo presente (dependiendo de la jurisdicción, una logia puede requerir una o dos referencias de miembros activos). Para poder convertirse en masón, debe ser elegido como candidato por la logia, lo cual se hará en votación secreta y después de cumplir estos requerimientos generales:

1. Estar allí por su propia voluntad.

2. Creer en un ser supremo (o en algunas pocas jurisdicciones, en un principio de creación).

3. Tener una edad mínima (entre 18 y 25, pero más comúnmente 21).

4. Mente lúcida o en sano juicio, estado físico, buena moral y buena reputación.

5. Ser libre.

6. Una o dos referencias de masones activos (dependiendo de la jurisdicción).

Esto es todo lo que se necesita para convertirse en masón, con algunas pequeñas variaciones a lo anterior como, por ejemplo, el requerimiento de "ser libre" es una regla estrictamente histórica y ha sido eliminada en la mayoría de las logias. Desde luego, hay cuotas que deben pagarse (las cuales tienden a ser muy razonables); y después de esto será iniciado en la logia como primer grado. La masonería regular, también conocida como "Artesana" o "Logia Azul Masónica", tiene tres grados o niveles:

1. *Aprendiz Entrante (EA) - Primer grado*
2. *Compañero Artesano (FC) - Segundo grado*
3. *Maestro Masón (MM) - Tercer grado*

Cada grado requiere el aprendizaje de ciertas materias antes de pasar al siguiente nivel, muy parecido a como sucede en el negocio de la construcción, donde se pasa por las posiciones de aprendiz, jornalero y maestro artesano. En algunas jurisdicciones una persona es considerada masón cuando por primera vez se convierte en Aprendiz entrante; mientras en otras, debe ser Maestro Masón para ser reconocido dentro de la orden. Independientemente de lo anterior, todas las logias azules y las masonerías artesanas consideran el grado de Maestro Masón como el más alto. De esta manera, el primer grado será un Aprendiz Entrante, mientras el miembro de tercer grado será el Maestro Masón.

Además de las logias azules y artesanas, hay otras ramas significativas, estas son el Rito Masónico Escocés, el Rito Masónico de York y el Altar (o "altares" como son conocidos más comúnmente), cuyo nombre completo es: "Antigua Orden Arábica de los Nobles del Altar Místico". Tanto los ritos Escocés como York se encuentran alrededor del mundo, mientas el Altar solamente en Norteamérica, y más específicamente, en los Estados Unidos. El Altar es conocido por sus hospitales infantiles, institutos para el tratamiento gratis de quemados; y gracias a su trabajo caritativo, es quizás la más pública de toda las organizaciones masónicas.

Los ritos Escocés y de York, surgieron del deseo de algunos masones de llevar un poco más allá las enseñanzas de la Artesana o las Logias Azules, probablemente incluyendo más lecciones sobre estudios esotéricos ya aprendidos por ellos al convertirse en Maestros masones. En el Rito Escocés, además del grado, hay unos números mediante los cuales se reconocen esos estudios adicionales (desde 4 a 33, siendo 33 un grado honorario). Sin embargo, debemos dejar claro que el grado 33 de Maestro Masón no está por encima del tercer grado de "Maestro". Para enfatizar este punto, en Europa puede tomar meses o inclusive años obtener cada grado, mientras en los Estados Unidos estos son conferidos, con frecuencia, durante fines de semana especiales llamados "convocatorias".

Grados adicionales fueron agregados al Rito de York pero no fueron numerados. El grado más alto en esta orden es el de Caballero templario, pero nuevamente, cualquier Maestro Masón tiene tanto poder como el Maestro Masón Caballero. La masonería tiende a mirar esto de una manera muy sencilla: un Maestro Masón es un Maestro Masón, de igual manera que un graduado de la escuela secundaria es igual a otro graduado de escuela secundaria, independientemente de si han tomado o no clases especiales.

Adicionalmente a la Artesana, el Rito Escocés, el Rito de York y las órdenes del Altar, hay otra cantidad de organizaciones relacionadas con la masonería. Estos grupos dan la oportunidad a mujeres, jóvenes y niños de ambos sexos de participar en asociaciones con ideales similares a los compartidos por la masonería. En estos se incluyen: Grotto, Tall Cedars of Lebanon, Order of the Eastern Star, Job's Daughters, International Order of the Rainbow for Girls, Order of DeMolay, National Sojourners, High Twelve, Daughters of the Nile, the Mystic Order of Veiled Prophets of the Enchanted Realm y the Knights of the Red Cross of Constantine, entre otros muchos.

Rituales y fe

Los masones usan señales y saludos (con las manos) y contraseñas para ser admitidos en las reuniones, o asegurarse de la legitimidad de un visitante. El grueso de la evidencia encontrada indica que esta práctica comenzó a mediados de 1600, cuando se empezaron a admitir miembros de naturaleza diferente a los tradicionales. Algunos dicen que estos elementos de comunicación ya son de público conocimiento, pero aunque así sea, las jurisdicciones locales tienen sus *propios* rituales y los cambian con frecuencia.

La consigna de los masones podría ser: "libertad, igualdad, fraternidad" (varios teóricos de las conspiraciones han expuesto la hipótesis de que los masones fueron parte de los instigadores de la revolución francesa), pero su doctrina actual es algo más parecido a esto: "valores

morales con los cuales todos estamos de acuerdo; esto es:
ser buenos y auténticos".

Mucha gente ha dicho que la orden es realmente
una religión (aspecto enfáticamente negado por sus
miembros), y de hecho tiene lo que podríamos llamar
alusiones religiosas. Joseph Fort Newton, Ministro
Episcopal y destacada autoridad del mundo masónico,
una vez afirmó: "La masonería no es una religión, sino
Religión; no una iglesia, sino un culto en donde los
hombres de todas las religiones pueden estar unidos."

Aunque la masonería no sea una iglesia o una religión,
tal parece ser un culto en el cual hombres de todas
las creencias pueden unirse en camaradería de buena
voluntad. Varios jerarcas del Vaticano consideran a los
masones como una sociedad secreta que conspira contra
el catolicismo, y están tratando de promover un sistema
único y universal de creencia. Bueno, si la hermandad
va a ser considerada como algo siniestro, entonces todos
vamos a estar en problemas.

Francine dice que el punto de vista masónico de
promover la tolerancia religiosa, también entra en
conflicto directo con la llamada Biblia de la Cristiandad.
Los "cristianos bíblicos" (o lo que podríamos denominar
la rama conservadora del protestantismo cristiano, la cual
incluye a los evangélicos) siempre han sido inflexibles
respecto a que una persona sólo puede ser salvada por
Jesucristo. Me parece que esto está en franca contradicción
con la esencia de la cristiandad, especialmente cuando
muchos cristianos bíblicos no creen que los masones sean
cristianos.

Lo anterior es especialmente irónico si tomamos en
consideración que algunas religiones tienen gran cantidad
de líderes que se han declarado masones. Por ejemplo,

el Comité de la Escuela Dominical de la Conferencia Bautista del Sur (SBC por sus siglas en inglés), condujo una encuesta en 1991 donde se estableció que el 14 por ciento de los pastores y el 18 por ciento de los diáconos del SBC eran masones. Además, se estima que más del 33 por ciento de la membresía de las logias en Estados Unidos está compuesto por miembros del SBC. En el año 2000, un informe publicado por el SBC dijo que más de 1,000 de sus pastores son masones. ¿Es entonces la masonería el arma secreta de los Bautistas del Sur para tomar control de la religión en los Estados Unidos? Desde luego que no..., pero no me extrañaría que un teórico de las conspiraciones postulara alguna clase de confabulación relacionada con esto.

Los masones se refieren a la Biblia como el Libro de la Ley Sagrada, pero esto es sólo en las llamadas logias cristianas. En logias identificadas con otras religiones se usan: pergaminos hebreos en las logias hebreas, el Corán en las logias islámicas, los Vedas en las logias Brahmán y así sucesivamente. Las enseñanzas del Kabbalah hebreo también pueden ser parte de los grados filosóficos y místicos de la masonería, por ejemplo, el ritual de la "búsqueda de la luz" lleva directamente al Kabbalah.

De hecho, los rituales de la masonería frecuentemente se remontan al hinduismo, budismo, zoroastrismo, islamismo y otras religiones orientales, lo mismo que al cristianismo y al judaísmo. De nuevo, me parece que esta es la confirmación de su intento de poner bajo una misma sombrilla todas las creencias en perfecta armonía. Aunque la orden enfatiza la creencia en un ser supremo o poder creador, no es requisito para los miembros declarar en qué dios creen. Muchos masones dicen que la G del gran geómetra quiere decir "Dios" (God en inglés), pero al mismo tiempo, consideran que el verdadero nombre de Dios se ha perdido.

Los masones evitan la mención de Jesús debido al riesgo de ofender a quienes no son cristianos. Ellos creen que los cristianos son una secta porque únicamente aceptan a Jesucristo como el Señor, excluyendo a todos los demás. Varias logias creen que hubo muchos mesías.

El pecado no es considerado por los masones, porque ellos creen que las fallas humanas pueden ser superadas mediante la espiritualidad y la iluminación a través del aprendizaje. De hecho, a medida que los miembros envejecen, son exhortados a reflexionar sobre la felicidad de una vida bien empleada en el aprendizaje. Como ellos no creen en el pecado, tampoco creen en la "salvación" en el sentido bíblico, lo cual deja por fuera el infierno y el terrible libro del Apocalipsis. Al final, esto se resume en el hecho de que los masones no cambian sus creencias para que se adapten a la Biblia; la Biblia es adaptada para que se ajuste a sus creencias.

La toma de juramentos es obligatoria en el proceso de convertirse en Maestro Masón, igual que el juramento de iniciación, que es obligatorio para convertirse en candidato aceptado por la masonería. El siguiente juramento puede variar un poco, dependiendo de la localidad de la logia:

> Prometo y juro, solemne y sinceramente, que siempre honraré, ocultaré y nunca revelaré cualquiera de las artes, partes o puntos de los misterios escondidos de la antigua masonería.
>
> Todo esto prometo y juro, solemne y sinceramente, con la firme e inalterable resolución de ejecutar lo mismo sin ninguna reserva mental o evasión secreta de mi parte por lo que sea que esté obligado, bajo una pena que no será inferior a cortar mi garganta, sacar de raíz mi lengua y ser enterrado en la arena, en el estiaje de la playa, donde la marea sube y baja dos veces en 24 horas, si alguna vez intencionalmente y por mi propia voluntad violase mi juramento solemne y mi obligación como Aprendiz Entrante de Masón. Que Dios me ayude.

Los masones y el nacimiento de una nación

La razón principal por la que quise incluir la Masonería en la sección de sociedades secretas políticas de este libro, está relacionada con la forma en que influyeron en la fundación de los Estados Unidos de América. Francine dice que la orden tomó el control en los Estados Unidos, como reacción a la represión religiosa en Inglaterra y la Inquisición de la Iglesia Católica, ambas razones importantes para convertirse en una sociedad secreta. Fue cuestión de protección.

Las primeras logias americanas aparecieron en Filadelfia en 1730 y Boston en 1733. La mayoría de los padres de la patria fueron masones, incluyendo a George Washington, Benjamin Franklin, Ethan Allen, John Hancock, John Paul Jones, Paul Revere y otros 35 que firmaron la Declaración de Independencia o la Constitución. Contrariamente, los siguientes americanos de esa misma época, condenaron la organización: John Adams, John Quincy Adams, James Madison, Millard Fillmore, Daniel Webster y Charles Sumner.

No hay duda de que la orden representó un papel importante en la fundación de los Estados Unidos. Por ejemplo, hay algunas palabras en la Constitución y en la Declaración de Independencia que vienen directo de su influencia, así como podemos ver su simbolismo en los billetes del dólar, la pirámide incompleta con el ojo que lo ve todo, el número de plumas de las alas desplegadas del águila y las estrellas sobre la cabeza del águila con la forma de la Estrella de David. El lema de *e pluribus unum* ("de muchos, uno") y *novus ordo seclorum* ("nuevo orden de los tiempos") sugieren el Nuevo Orden del Mundo que la masonería parece desear.

Al menos 13 presidentes de los Estados Unidos han sido masones; también numerosas estrellas de cine como: Gene Autry, Ernest Borgnine, Eddie Cantor, Douglas Fairbanks, W. C. Fields, Glenn Ford, Clark Gable, Oliver Hardy, Al Jolson, Tom Mix, Audie Murphy, Roy Rogers, Will Rogers, Peter Sellers, Danny Thomas y John Wayne; magnates del entretenimiento y talentos como: Count Basie, Mel Blanc, Nat King Cole, Cecil B. DeMille, Duke Ellington, D. W. Griffith, Arthur Godfrey, Harry Houdini, Louis B. Mayer, John Phillip Sousa, Lowell Thomas, Jack Warner, William Wyler, Darryl F. Zanuck y Florenz

Ziegfeld; famosos exploradores y astronautas, incluyendo al Almirante Richard E. Byrd, Kit Carson, "Buffalo Bill" Cody, Virgil "Gus" Grissom, Charles Lindbergh, Edgar D. Mitchell, Almirante Robert E. Peary, Wally Schirra, Meriwether Lewis y William Clark; estrellas del deporte como Cy Young, Honus Wagner, Arnold Palmer, Rogers Hornsby, Curt Gowdy y Ty Cobb; políticos y líderes, incluyendo al General Omar N. Bradley, William Jennings Bryan, Winston Churchill, Robert J. Dole, General James Doolittle, William O. Douglas, Barry Goldwater, J. Edgar Hoover, Sam Houston, Reverend Jesse Jackson, Fiorello LaGuardia, General Douglas MacArthur, Norman Vincent Peale, Joseph Smith, Strom Thurmond, Earl Warren y Brigham Young; escritores y compositores como: Irving Berlin, Robert Burns, Samuel Clemens (Mark Twain), George M. Cohan, Sir Arthur Conan Doyle, Rudyard Kipling, Wolfgang Amadeus Mozart, Sir Walter Scott y Jonathan Swift; potentados y hombres de negocios, tales como: John Jacob Astor, Walter Chrysler, Samuel Colt, Henry Ford, Rowland Hussey Macy, Andrew Mellon y James C. Penney. ¡Y esta es sólo una pequeña muestra de la lista de los masones famosos!

Los oponentes de la Masonería dicen que sus miembros están siendo engañados y embaucados, pero si le damos una mirada a la lista de gente famosa que vimos antes, se ve claramente que hay una gran cantidad de gente muy inteligente y hábil a la que estarían defraudando, lo cual es muy poco probable. También podemos ver que los masones provienen de las más diversas culturas y formas de vida, contrariamente a lo que sucede con la mayoría de las sociedades secretas que tienen agendas específicas, y su tendencia a escoger exclusivamente cierto tipo de personas con pensamientos e ideas similares. Es muy difícil imaginar que estrellas del deporte, astronautas y gente de negocios se hayan juntado para revertir el orden mundial.

Un aspecto interesante sobre la masonería es la forma como ellos tratan de incorporar mucha información esotérica proveniente de diversas fuentes del conocimiento. Es como si sus fundadores hubieran tratado de integrar las más diversas escuelas de pensamiento para lograr tener la mayor diversidad posible, al momento de enfrentarse con las filosofías y creencias. Si vemos retrospectivamente los orígenes de las diferentes culturas, indudablemente vamos a encontrar algunos mitos y leyendas a los cuales los masones se refieren como parte de sus inicios. Desde Adán y Eva hasta los antiguos gigantes extraterrestres o el Avatar, dios encarnado de la civilización Sumeria; desde la construcción del Templo del Rey Salomón con Hiram Abif hasta los antiguos egipcios como Hatshepsut o Akhenaton; de los esenios y los gnósticos hasta el rey Arturo, la escuela de Alejandría, los Caballeros Templarios, Platón, Jesús y sus apóstoles, Mahoma, Hermes, Hebreos, las escuelas de India y Persia y así continúa la lista interminablemente. Presuntamente, la masonería se ha interesado en todos los antiguos misterios que hayan existido alguna vez sobre la tierra. Al proceder de esta manera, evidentemente han sentido que tienen cubiertas todas las bases, y de una manera auténtica pueden llegar a ser una fraternidad de hombres dispuestos a acoger en la hermandad, a personas procedentes de cualquier cultura o religión.

La masonería sobrevivió porque sus miembros eran constructores indispensables para erigir los grandes templos e iglesias a Dios. Posiblemente, esa es la razón por la cual escaparon a la persecución, después de todo, ¿quién iba a sospechar de unos polvorientos albañiles, cuyo talento era construir los grandes edificios que la humanidad creía necesitar? Estos albañiles, exactamente como los primeros cristianos, se juntaban clandestinamente para avanzar en su conocimiento y progresar en el desarrollo de sus proyectos, lo cual los llevó finalmente a entrar en asuntos políticos, económicos y legales.

No cabe duda que la Masonería es una de las más antiguas (y en algunas épocas, más poderosas) sociedades secretas que el mundo haya conocido. No importa si sus principios fueron hace miles de años, o como dice Francine, hace 1.700 años. La orden todavía existe y continúa teniendo un impacto importante. Sus obras benéficas han ayudado a la humanidad, y hay miles de buenas personas que se autodenominan masones en el mundo haciendo lo posible por ayudar a los demás.

Los teóricos de las conspiraciones desean creer que la masonería maneja los Estados Unidos y el mundo, pero yo no pude encontrar evidencia contundente para afirmar que esto está sucediendo. Mientras Francine afirma que los masones, como sociedad, abogan por el Nuevo Orden Mundial, muchos de los que trabajan en ello no tienen la influencia política ni el poder que una vez tuvieron. Personalmente, pienso que no debemos preocuparnos por los masones, aunque tengan algunas agendas ocultas bajo su apariencia inofensiva, porque, definitivamente, no son una amenaza global.

SEGUNDA PARTE

Sociedades religiosas

CAPÍTULO SEIS

LOS CABALLEROS
TEMPLARIOS

*M*i querido amigo Gordon Smith, un excelente psíquico y médium de Escocia, después de mencionarle que estaba escribiendo un libro sobre sociedades secretas, me relató una interesante historia sobre lo que le sucedió cuando estuvo en la Sociedad Teosófica de Londres (sitio en el que ya he estado tres veces).

Gordon estaba tratando de matar el tiempo antes de dictar su conferencia, cuando encontró el campo santo de una pequeña iglesia, cerca de las oficinas centrales de la sociedad. Llamaron su atención tres derruidas y viejas lápidas del siglo XIII que no tenían nombres, solamente un símbolo representado por una calavera con dos huesos cruzados bajo ella. Las otras tumbas en su mayoría eran recientes y en mejor condición. Gordon le preguntó a un clérigo de la iglesia sobre las lápidas antiguas que había visto. Aunque renuente a contestar, mi amigo persistió y le preguntó si éstas no podrían ser de sepulcros de Caballeros Templarios, ya que la calavera y los huesos cruzados era uno de sus símbolos. El clérigo reaccionó diciéndole que estaba equivocado y que le agradecería no volver a entrar en ese cementerio. Mi amigo psíquico se olvidó del asunto y se dirigió a la Sociedad Teosófica para dictar su conferencia.

En otra ocasión, dictando una conferencia en ese mismo sitio, Gordon vio un gran símbolo masón en la pared. Al preguntarle a uno de los asistentes sobre su significado, le dijeron que en una época un símbolo de la Cruz Rosada (emblema de la Orden Rosacruz) también había estado en ese lugar. Decidió preguntar a los miembros de la Sociedad Teosófica sobre las imágenes, quienes a su vez respondieron diciéndole que la información que le habían dado era incorrecta..., así como lo que él había visto con sus propios ojos. Gordon contó que salió confundido y concluyó su historia preguntándome por qué todos los símbolos que había visto fueron negados tanto por la iglesia como por la Sociedad Teosófica.

Le contesté de la misma manera con la que empezaré a entrar en materia en este capítulo: hay *mucha* controversia rodeando estas organizaciones encubiertas, especialmente en lo concerniente a los Caballeros Templarios. Los historiadores tienen un punto de vista respecto a los orígenes del grupo, mientras los teólogos muestran otras inclinaciones, y los creyentes del Santo Grial lo ven de una manera muy diferente. Después de montañas (y me refiero literalmente a *montañas*) de investigación, creo que he logrado llegar a la verdad sobre qué era lo que se traían entre manos estos amigos.

Los Caballeros Templarios es probablemente una de las más misteriosas y fascinantes sociedades secretas. No solamente por sus ocultas y aparentemente extravagantes acciones, sino por la naturaleza contradictoria de las mismas. Por ejemplo, eran brutales en la guerra, no tenían compasión ni esperaban ninguna, pero eran vistos como muy religiosos y piadosos. Además, como se volvieron muy astutos en materias financieras acumulando grandes riquezas, sentían que su más grande tesoro jamás podría ser medido por bienes terrenales.

¿Qué es un caballero?

Antes de entrar con detenimiento en el tema de los Caballeros Templarios, permítanme explorar de dónde viene el concepto de caballero. Para todos los propósitos, los términos *calidad de caballero* (knighthood en inglés) y *caballerismo* (chivalry en inglés), son sinónimos. La palabra *calidad de caballero* (knighthood) viene de la palabra inglesa knight (a su vez del inglés antiguo cniht, que significa "muchacho" o "siervo"); mientras *caballerismo* (chivalry) se desprende de la palabra francesa chevalerie, viniendo ella misma de chevalier o knight. Adicionalmente, la palabra *knight* se traduce al alemán como *ritter* (literalmente "rider" en inglés o jinete en español).

La forma más sencilla de definir a estos caballeros es denominándolos "soldados profesionales", quienes empezaron a tener importancia a principios del siglo X, cuando estaba terminando la era feudal. En las primeras épocas no había una distinción real de clase entre ellos y la gente común, porque cualquiera que tuviera los recursos (y el dinero) podía obtener el entrenamiento, el equipo, y seguir sus pasos. Sin embargo, a medida que los caballeros emergieron en el siglo XI, se volvió básicamente una asociación profesional, siendo sus miembros terratenientes, constructores, hombres libres, etc.

En el siglo XII, un aspecto religioso fue agregado a la calidad de caballero y muchos monjes empezaron a convertirse en verdaderos *miles Christi* ("soldados de Cristo"). Esta influencia religiosa trajo consigo un código de ética y conducta conocidas actualmente como "código de caballería". En los últimos años del siglo, la literatura le adicionó un halo de romanticismo glorificando la calidad de caballero; y aunque estos hombres no eran necesariamente nobles, y los miembros de la aristocracia no todos eran caballeros, los dos conceptos empezaron a mezclarse.

Al comienzo del siglo XIII, prácticamente todos los caballeros eran exclusivamente hijos de nobles o de los mismos caballeros, y en su mayoría ya no eran soldados. Gracias al incremento del uso de mercenarios y a la invención de la pólvora, así como una más poderosa arquería, los caballeros se convirtieron en personajes menos efectivos en el combate. Sin embargo, la idea del caballerismo continuó viviendo y en los siguientes dos siglos, se convirtieron en una especie de artistas participando en torneos y haciendo gala de sus habilidades. Este también fue el período en el que se inició la heráldica, cuando las familias nobles empezaron a distinguirse unas de otras diseñando su propio escudo de armas.

Durante las Cruzadas, grupos de caballeros se asociaban para proteger o ayudar a los peregrinos, lo mismo que para luchar por la Tierra Santa. Después que su poder militar ya no fue necesario, estos grupos u "órdenes de caballeros" poco a poco evolucionaron hacia los reconocimientos y condecoraciones honoríficas que conocemos en los tiempos modernos. Solamente unas pocas de estas antiguas órdenes sobrevivieron hasta el día de hoy, tal como la Orden de Malta, sobre la cual hablaremos en el siguiente capítulo. No obstante, en mi investigación encontré no menos de 200 órdenes o clases que se proclamaban de caballeros y aunque en muchos países todavía existen, se parecen más a organizaciones fraternales. En algunos casos, se usan para diferenciar las clases nobles siendo denominaciones totalmente honorarias en su naturaleza.

Muchas personas idealizan la calidad de caballero al relacionarla con las románticas historias del Rey Arturo, la búsqueda del Santo Grial (el cual se cree es la copa en la que Jesús bebió en la Última Cena y en la que se recogió su sangre cuando estaba en la cruz) o con héroes producto de la fantasía como Ivanhoe. En realidad, los caballeros alcanzaron todo su apogeo en la época de las Cruzadas, cuando trataron de recuperar Tierra Santa de manos de los musulmanes y participaron en la búsqueda de reliquias de la cristiandad, incluyendo el Santo Grial.

Sin embargo, académicos, historiadores y teólogos no creen que los caballeros hayan luchado por la Tierra Santa ni ido en búsqueda de reliquias debido a su fe. La cruda verdad es que muchos de estos supuestos caballeros violaban, depredaban y saqueaban cualquier cosa sobre la que pudieran poner sus manos. La vida en esa época era extremadamente ruda y aquellos que daban protección o servían a algún propósito elevado, también eran brutales en la forma de tratar otros seres humanos.

Mientras los primeros caballeros se encargaron de dar seguridad a las caravanas, a las rutas comerciales y a escoltar viajeros y peregrinos, muchos de ellos tenían acuerdos con señores feudales para proteger sus propiedades de disputas mezquinas. También eran llamados con frecuencia a tomar las armas si el Rey necesitaba tropas para combatir en la guerra. Después de la Primera Cruzada, iniciada por el Papa Urbano II en 1095, se formaron los Caballeros Templarios. Su historia no sólo es fascinante y misteriosa, sino también, supuestamente, herética.

El nacimiento de los Caballeros Templarios

Los Caballeros Templarios, definitivamente fueron miembros de una sociedad secreta, aunque no empezaron de esa forma; de hecho, historiadores y académicos están de acuerdo en que sus motivos fueron al principio sinceramente piadosos. Muy pocos registros han sobrevivido al grupo y la mayoría de los expertos dicen que se agruparon en el 1118 (otros creen que fue antes, en 1099 ó 1111).

Se cree que los fundadores de la orden fueron: un noble francés llamado Hughes de Payes, quien llegó a ser Gran Maestro de los Templarios y Godfrey de Saint-Omer, caballero flamenco. Estos dos personajes se presentaron ante Baldwin II, Rey de Jerusalén en esa época, para pedirle el reconocimiento de "Los Pobres Caballeros de Cristo y del Templo de Salomón" (también llamados "Hermanos de la Milicia del Templo"), que eran conocidos simplemente como los "Caballeros Templarios". Se dice que el sello de la orden, dos caballeros montando en un solo caballo, para así indicar su pobreza, fue tomado de la vida real, pues Hughes y Godfrey sólo tenían un caballo que compartían.

La mayoría de los que creen que la fecha de fundación de los templarios fue en 1118 se apoyan en el libro *A history of deeds done beyond the sea*, escrito por el arzobispo de Acre, William of Tyre (1130-1185). Este libro no es considerado confiable por los expertos modernos ya que se han encontrado varios errores en él. Por ejemplo, aunque el libro marca 1118 como la fecha de fundación de los Caballeros Templarios, afirma que el grupo fue iniciado por 9 caballeros quienes no permitieron el ingreso de nuevos miembros por los siguientes nueve años. Otras partes del libro indican que el Conde de Anjou fue el primer nuevo miembro y la fecha dada para su aceptación fue 1120. Si se sustraen nueve años de 1120, tenemos el año 1111.

Mi guía espiritual, Francine, dice que la Orden de los Caballeros Templarios realmente fue fundada alrededor del año 1099 bajo un nombre diferente y por un hombre conocido como Godefroy de Bouillon (Godfrey de Bouillon), uno de los líderes de la Primera Cruzada. De acuerdo con Francine, Godfrey era un hombre muy piadoso quien sin demora respondió al llamado del Papa Urbano II, para liberar la Tierra Santa de los musulmanes. En 1096 armó y lideró un ejército de aproximadamente 40.000 hombres que marcharon desde Lorraine, Francia, para finalmente llegar a Jerusalén a comienzos de 1099. Inmediatamente llegó, Godfrey procedió a sitiar la ciudad, participando en la matanza de casi todos los musulmanes y judíos que residían en ella. En el libro *The monks of war*, Desmond Seward describe esta masacre de la siguiente manera:

> Jerusalén fue asaltada en julio de 1099. La ferocidad de sus saqueadores demostró cuán poco

éxito la Iglesia Católica había tenido en cristianizar los atávicos instintos de sus fieles. Todos los habitantes de la Ciudad Santa fueron pasados por la espada, tanto judíos como musulmanes. 70.000 hombres, mujeres y niños murieron en un enfurecido holocausto que duró tres días. En algunos lugares la sangre llegaba hasta los tobillos, mientras los caballos la salpicaban en su paso por las calles. Sollozando, estos devotos conquistadores fueron descalzos a orar ante el Santo Sepulcro antes de regresar ansiosos a completar la masacre.

Una nota al margen, es importante entender que en esa época la Iglesia Católica no consideraba como pecado matar a los que estaban en posesión de Tierra Santa, a quienes consideraban como "infieles". De hecho, la ejecución de estas personas era una forma de expiar los pecados para así ganar el cielo. En contraste, cuando los musulmanes conquistaron la ciudad, ofrecieron una amnistía y dejaron partir a los sobrevivientes, aun si estos eran soldados que habían luchado en contra de ellos.

Ciertamente, parece que los musulmanes fueron mucho más "cristianos" que los verdaderos cristianos de esa época. Saladín, el gran sultán y guerrero musulmán, fue especialmente compasivo y ampliamente respetado por los soldados cristianos por su caballerosidad, cuando recuperó Tierra Santa y Jerusalén de los cruzados cristianos. Es historia conocida que, aunque el Rey Richard I de Inglaterra (Ricardo Corazón de León) y Saladín nunca se enfrentaron en batalla, Saladín le ofreció a Ricardo sus médicos cuando el Rey fue herido. En otra batalla, cuando Ricardo perdió su caballo, Saladín le mandó tres alazanes para reemplazarlo. Este hombre fue también quien ayudó a negociar el tratado mediante el cual Tierra Santa quedó bajo control musulmán, permitiendo a los peregrinos cristianos visitarla con la garantía de su seguridad.

Regresando a Godfrey de Bouillon..., después de capturar Jerusalén en 1099, fue nombrado Rey de la ciudad, nombramiento que se apresuró a rechazar. En su lugar, aceptó el título de "Protector del Santo Sepulcro". Francine dice que camino a Jerusalén, Godfrey se enamoró de las creencias y enseñanzas de un grupo de monjes calabreses, quienes habían establecido la Orden de Sión (que cubriré en el capítulo 9), al punto de que ellos llegaron a confiarle algunos de sus conocimientos secretos respecto a la sobrevivencia, matrimonio e hijos de Jesucristo (todo lo cual explico en el capítulo 14). Esto era especialmente interesante para Godfrey porque sus antepasados fueron reyes merovingios, supuestamente en el linaje de Cristo. Personalmente, encuentro muy interesante que los monjes calabreses, originales del área de Calabria en Italia, conocida como el lugar donde Pitágoras impartió sus enseñanzas, también fuese el lugar donde se originó la "apostasía" del monje Joaquín de Fiore..., un área muy gnóstica.

Sabiendo que Godfrey era uno los líderes más importantes de las Cruzadas, este grupo de monjes formó una especie de alianza con él, con la idea de beneficiar a ambas partes en el caso de que Jerusalén fuera conquistada. Francine explica que Godfrey, después de hacerse cargo de la función de Protector del Santo Sepulcro, formó la Orden del Santo Sepulcro: un grupo de 12 caballeros dedicados a proteger a la orden de religiosos que prestaban servicio en el Sepulcro de Cristo, aún antes de que Jerusalén fuera conquistada por los cruzados. Estos caballeros eventualmente evolucionaron, después de la muerte de Godfrey en 1100, como Caballeros Templarios.

La muerte de Godfrey fue inesperada y sigue siendo un misterio. Se dice que fue herido por una flecha durante el sitio a la ciudad de Acre, mientras otros creen que fue envenenado por el Emir de Cesarea. De cualquier manera, su muerte dejó un vacío de liderazgo temporal en la recién formada Orden del Santo Sepulcro, vacío llenado rápidamente por el noble francés Hughes de Payens. También quedó sin resolver el asunto de quién sería el Rey de Jerusalén, noble posición por la que estaban compitiendo varios hombres. Finalmente, el hermano de Godfrey fue coronado como el Rey Baldwin I de Jerusalén. Después de su muerte, ocho años más tarde, su primo asumió el trono como Baldwin II.

Siguiendo el bien estructurado plan dejado por Godfrey, la orden obtuvo la ayuda de los monjes de Calabria, logrando persuadir al Rey Baldwin II para que reconociera al nuevo grupo de caballeros, el cual fue llamado: "Orden de los Pobres Caballeros de Cristo y del Templo de Salomón" (mejor conocidos como Caballeros Templarios). Básicamente, la función de esta nueva organización era proteger a los peregrinos que visitaban Tierra Santa. La Orden también convenció a Baldwin de permitir a los monjes calabreses formar una nueva hermandad religiosa y proveer, tanto a los templarios como a los frailes, un lugar que funcionara como cuartel general y abadía.

Baldwin les entregó uno de los mejores lugares de Jerusalén: el Monte del Templo, que era el sitio del Templo Judío construido por Salomón. Los monjes calabreses formaron la Orden de Sión y construyeron una abadía que llamaron: "Nuestra Señora del Monte de Sión". Los Caballeros Templarios construyeron sus cuarteles generales en el sitio donde se encontraban los establos del Rey Salomón, adjunto al palacio real en el Monte del Templo (hoy en día la Mezquita Al-Aqsa).

Francine manifiesta que además de Godfrey, otros dos caballeros de la original Orden del Santo Sepulcro murieron, dejando a los templarios con sólo nueve miembros. Aunque presuntamente eran protectores de los peregrinos que visitaban Tierra Santa, afirma Francine que en lugar de esa misión, se dedicaron a un proyecto diferente por casi diez años, el cual surgió del conocimiento recibido de los monjes de la Orden de Sión.

El tesoro de los templarios

Uno de los grandes misterios acerca de los Caballeros Templarios es cómo lograron convertirse, prácticamente de la noche a la mañana, en una de las más poderosas y acaudaladas organizaciones en el mundo cuando en su origen proclamaban la pobreza. Respecto a eso, Francine explica que los templarios estaban excavando en el sitio del Templo de Salomón, localizado en el Monte del Templo, con la esperanza de encontrar reliquias religiosas, particularmente el Arca de la Alianza (donde se dice que descansan los Diez Mandamientos). Lo estaban haciendo porque la Orden de Sión, basada en los conocimientos adquiridos durante siglos, indicaba que el Templo era el lugar donde había más probabilidades de encontrar el Arca.

Francine continúa diciendo que después de nueve años de excavaciones, los templarios encontraron un artefacto no mencionado en ninguno de los libros históricos conocidos: una especie de diario dentro de un cofre de oro que parecía una copia en miniatura del Arca de la Alianza. El cofre de oro sólido era un tesoro en sí mismo, pero los escritos en su interior tenían todavía un valor mucho más grande. Eran relatos básicamente autobiográficos, describiendo eventos, tiempos y lugares que el escritor había experimentado o dónde había estado...; quien escribía no era otro que Jesucristo.

Este diario esbozaba todos los viajes del Señor a la India, Persia y Egipto antes de empezar su ministerio público, lo mismo que muchos de los conocimientos adquiridos y luego transmitidos a sus discípulos. También describía su asociación con los esenios y los ebonitas (de quienes Santiago, el hermano de Jesucristo, era supuestamente el líder); y la más sorprendente información de todas: ¡su supervivencia a la crucifixión y posterior escape a Francia!

De acuerdo con Francine, el diario termina ahí. También dice que fue José de Arimatea, quien por pedido de Jesús, después de varios años de estar en Francia, enterró el cofre de oro conteniendo el diario porque sabía que algún día sería descubierto. Tal parece que José de Arimatea fue un personaje heroico, más allá de lo que es conocido. Como verán en el capítulo 14, no solamente representó un papel importante en salvar a Jesús de la muerte, sino también en ayudarlo a escapar y establecerse en Francia. Posteriormente, fundó la cristiandad en Inglaterra y también ayudó a enterrar esta "historia de Cristo" en el Monte del Templo.

Historiadores y académicos creen que los Caballeros Templarios encontraron el tesoro perdido del Templo Judío, que es el responsable de su repentina riqueza. El "tesoro templario" siempre ha constituido una leyenda, con continuas especulaciones sobre su naturaleza.

Francine dice que el tesoro no tenía valor monetario, aunque sí trajo a estos hombres gran fortuna y poder.

Mi guía espiritual destaca que inicialmente, los Caballeros Templarios no sabían qué hacer con el fantástico descubrimiento y decidieron consultar con los monjes de la Orden de Sión (quienes, al fin y al cabo, les habían dado la idea de excavar en el sitio). Después de algunas discusiones, decidieron notificar a la Iglesia Católica sobre el descubrimiento. Pero como ellos no confiaban en la Iglesia, tomaron algunas medidas para asegurarse de que el cofre y su precioso contenido permaneciera escondido en lugar seguro. Hicieron varias reproducciones de los escritos originales y enviaron una de ellas directamente al Papa, al tiempo que ponían los originales a salvo en un lugar secreto.

Cuando el Papa recibió su copia, se molestó mucho e hizo los arreglos para revisar los escritos originales enviando sus propios expertos a Jerusalén. Cuando llegaron los expertos del Papa, les fueron colocadas vendas sobre los ojos, los llevaron al sitio secreto donde se encontraba el diario original y bajo supervisión, les permitieron mirar y estudiar los escritos para verificar su autenticidad. Como los recursos científicos eran muy primitivos en esa época (principios del siglo XII), la única forma posible de verificación era comparar el lenguaje usado contra otros escritos conocidos. Obviamente, no había pruebas científicas a su disposición como el carbono 14 para establecer la fecha de los documentos. Basta decir que varios años después del regreso de los expertos del Papa a Roma, los Caballeros Templarios empezaron a acumular gran riqueza. De esta manera, la Orden empezó por ser reconocida y patrocinada por San Bernardo de Clairvaux, uno de los más poderosos e influyentes monjes de la época. Gracias a esa influencia, lograron del Papa la "regulación de los Caballeros mediante Bula Papal a la Orden", que les otorgó autonomía legal al punto de únicamente responder ante el Papa o ante Dios mismo. El Papa dio su aprobación oficial al grupo en el año 1139, y desde ese momento en adelante, a los caballeros les fueron entregados tierras y castillos, además del soporte económico por parte de los reyes y la nobleza a lo largo de toda la Europa cristiana.

¿Fue esto un chantaje por parte de los Caballeros Templarios o solamente una posición prudente tomada por la Iglesia Católica? Francine dice que fue un poquito de las dos cosas. Ciertamente, la Iglesia tenía conocimiento sobre varias creencias gnósticas y herejes de la época, como se evidencia en una carta escrita por el famoso monje Gerber de Aurillac (quien posteriormente se convirtió en el Papa Silvestre II), unos cien años antes de la Primera Cruzada. El futuro Pontífice dijo algo relacionado con la esperanza de que Francia pudiera recuperar los lugares sagrados y, de esa manera, conducir una búsqueda de las claves del "conocimiento universal" escondido allí. Esto demuestra que la Iglesia estaba consciente del hecho de que había artefactos escondidos en Tierra Santa y que muchas de las sectas gnósticas y herejes reclamaban saber exactamente dónde estaban.

Como ya mencioné, Godfrey de Bouillon obtuvo gran cantidad de información de los monjes calabreses convertidos posteriormente en el Priorato de Sión. Este conocimiento, seguramente, fue transmitido a los templarios, quienes en sus excavaciones encontraron algunos artículos conteniendo el mismo.

Es muy interesante ver como los Caballeros Templarios construyeron otra serie de estructuras en los lugares sagrados: la Abadía para la Orden de Sión, situada justo en la Puerta de Sión, a la entrada de Jerusalén. Adiciones y renovaciones a otros sitios incluyendo la Tumba de David, el Cenáculo y la antigua Iglesia de los Apóstoles. Francine dice que los templarios hicieron renovaciones en el edificio de la Iglesia de los Apóstoles, la Capilla del Espíritu Santo y un salón llamado "Cámara de los Misterios", quizás relacionada con los antiguos conocimientos que ahora poseían.

Los Caballeros Templarios empezaron a adquirir una naturaleza cada vez más secreta y misteriosa. ¿Podría esto deberse a los pergaminos y artefactos que habían descubierto en Jerusalén? Bien, recientes excavaciones arqueológicas han desenterrado evidencia de una comunidad de esenios que también vivió en el Monte Sión en esa época. Antes de este descubrimiento, se pensaba que los esenios sólo habían habitado en el Qumran, cerca del Mar Muerto.

Los templarios también fueron reconocidos por sus conocimientos de la construcción. De hecho, erigieron cientos de iglesias, varias de ellas con formas redondas u octogonales, supuestamente copiadas del diseño del Santo Sepulcro en Jerusalén. Esto parece apoyar la afirmación de Francine en el sentido de que los Caballeros aprendieron sobre algunos de los antiguos misterios gracias a la Orden de Sión, y también a los artefactos sagrados recuperados, dado que los antiguos y herméticos misterios contenían mucha información sobre geometría y prácticas de construcción.

Uno de los frecuentes malentendidos con relación a la riqueza de los templarios proviene de los que piensan que el grueso de ella vino del chantaje a la Iglesia. La verdad es que la riqueza de los templarios surgió principalmente de su destreza aplicada a lo que podría denominarse como el principio de la banca. Los templarios crearon un sistema mediante el cual una persona depositaba dinero en cualquiera de las casas templarias, recibiendo a cambio un recibo con un código, que al ser mostrado en una de éstas, les permitía retirar el dinero. Esto hizo que los viajeros, peregrinos y comerciantes pudieran viajar sin el peligro de llevar dinero con ellos y ser robados; además, revolucionó la transferencia de fondos de un lugar a otro.

Obviamente, los templarios recibían un pago por prestar este servicio. También prestaban dinero a reyes y nobles a cambio de un interés. A medida que fueron conocidos como los primeros banqueros de la Europa medieval, llegó la riqueza generada por este negocio. Acumularon tierras y castillos aportados por los que entraron a la orden, así como de los nobles que no pudieron pagar sus préstamos, o sencillamente donaron una porción de sus posesiones. En la cúspide de su poder, los templarios llegaron a poseer por lo menos 870 castillos con sus casas aledañas y sus correspondientes tierras y propiedades a lo largo del mundo cristiano.

Adicionalmente, tenían una considerable cantidad de barcos, constituyendo no sólo una gran marina que podía transportar bienes y alimentos, sino también una armada para proteger sus vastas propiedades. Interesante anotar que uno de los símbolos templarios, la calavera con los huesos cruzados, era izada como bandera en sus barcos. ¿Fue este símbolo adoptado por los piratas debido a la caída en desgracia de los templarios como supuestos herejes? O, más bien, ¿algunos de sus antiguos miembros se volvieron piratas después que el Papa Clemente V disolvió el grupo, y después otros bucaneros sencillamente adoptaron el mismo símbolo? Francine dice que fue esto último.

La decadencia de la Orden

Los Caballeros Templarios estuvieron activos en Tierra Santa por varios años, manteniendo una relación de liderazgo compartido con el Priorato de Sión, hasta que se separaron en el año 1188. La disolución de esta sociedad entre las dos órdenes, puede haber estado relacionada directamente con la toma de Jerusalén por parte de Saladín en 1187, cuando a la Orden de Sión le fue permitido permanecer en su abadía, mientras los Caballeros Templarios fueron obligados a retirarse y librar numerosas batallas en otros lugares. Los templarios se las arreglaron para ayudar en la recuperación de Acre en 1191, lugar donde residieron hasta 1291. Saladín promulgó numerosas treguas para permitir la peregrinación de cristianos, pero los constantes ataques de los ejércitos cristianos, terminaron con la paciencia de los musulmanes, quienes de manera efectiva lograron alejar estos ejércitos de Tierra Santa por el año de 1291.

Aunque en esos tiempos se llevaron a cabo nueve cruzadas mayores y numerosas menores, instigadas básicamente por la Iglesia Católica y también por varios gobernantes, casi todas fueron muy poco efectivas y usualmente con resultado final desastroso. Únicamente, la Primera Cruzada y la llevada a cabo contra los Cátaros (de la cual hablaré en un capítulo posterior), tuvieron algún tipo de éxito.

Después de la derrota en Acre, los templarios sobrevivientes escaparon de Tierra Santa, a bordo de sus barcos para reunirse con sus hermanos en Europa, quienes habían venido acumulando grandes riquezas provenientes de los negocios bancarios. Desdichadamente, esta riqueza vino a representar un papel importante en su decadencia. Habiendo prestado más y más dinero, muchos nobles se vieron muy endeudados..., y lo peor, se volvieron extremadamente envidiosos. Uno de ellos fue el monarca francés Felipe el Hermoso, conocido como Felipe el Justo, así llamado por su apariencia, no por la forma de hacer negocios. En 1306, el Rey Felipe estaba altamente endeudado con los Caballeros Templarios debido a su estilo de vida extravagante y a los crecientes costos de la guerra, que trató de solucionar confiscando tierras y fortuna a todos los judíos. También creó nuevos impuestos para las iglesias católicas de su reino que gravaban los ingresos de las mismas hasta con el cincuenta por ciento, pero nada de esto le sirvió para resolver sus conflictos.

El Papa Bonifacio VIII emitió una bula papal que establecía que las tierras y activos de la Iglesia no podían ser gravados por ningún monarca, y Felipe lo mandó arrestar. Aunque fue liberado a los tres días, el Papa Bonifacio murió un poco después.

Después de la muerte de Bonifacio VIII en octubre de 1303, y debido a los cismas dentro de la Iglesia, tomó más de un año elegir al sucesor. Con la ayuda del Rey Felipe, quien definitivamente quería que hubiera un Papa francés, Clemente V fue finalmente elegido en noviembre de 1304. Considerado por los historiadores como un líder de carácter débil, básicamente "dominado" por el Rey Felipe, Clemente V es conocido por dos eventos importantes en su reinado:

1. El traslado de la Curia Romana a Aviñón, Francia, en 1309

2. Su colaboración en la supresión de los Caballeros Templarios (esfuerzo iniciado por Felipe el Hermoso)

Como Felipe estaba endeudado con los templarios, y deseoso de poseer su riqueza, trató de entrar a la Orden en 1306 pero fue inmediata y rotundamente rechazado. Enfurecido, más allá de lo que pueda creerse, el Rey Felipe ordenó el arresto de los templarios, bajo cargos de herejía el viernes 13 de octubre de 1307. (Algunos creen que la superstición del viernes 13 como día de mala suerte viene de las consecuencias de esta acción). Jaques de Molay, el Gran Maestro de los Caballeros Templarios en esa época, fue capturado junto con otros 60 y encarcelado en París. Lo mismo sucedió con 15.000 miembros en otras partes de Francia. Las acusaciones en su contra incluían relaciones sexuales con demonios, culto a espíritus familiares, sodomía y magia negra.

En los siguientes años, los templarios capturados fueron torturados sin misericordia con hierros candentes y otros infames instrumentos de tormento. De hecho, se dice que Jaques de Molay fue clavado de pies y manos a una puerta. Producto del sufrimiento por los castigos infligidos, varios de los templarios murieron, mientras otros se confesaron culpables de los cargos de herejía, desde la sodomía (la cual supuestamente fue admitida por tres de ellos) y rendir culto a una cabeza llamada por ellos "Bafomet", hasta la aceptación de relaciones sexuales con demonios y escupir a la cruz que algunos poseían. Muchos académicos consideran simplemente falsas estas confesiones porque fueron obtenidas bajo coacción.

Sin embargo, es interesante anotar el pensamiento de algunos expertos que piensan que la confesión de escupir a la cruz probablemente fuera un hecho real, debido al involucramiento de los templarios con los primeros "judíos cristianos". Esta teoría se apoya en el hecho de que los judíos cristianos no creían en la divinidad de

Jesús, afirmando que solamente era un hombre. Parte de la iniciación dentro de la Orden de Caballeros Templarios incluía escupir a la cruz como una forma de desconocer a la Santísima Trinidad y la divinidad de Cristo. Esto bien puede ser cierto, especialmente si consideramos la naturaleza de lo descubierto debajo del Templo del Monte, que podía probar la sobrevivencia de Jesucristo a la crucifixión.

Francine me confirmó que la visión de los templarios con respecto a Jesús era muy parecida a la de los judíos cristianos, o sea que era un hombre, no una divinidad, aunque sus enseñanzas sí *eran* inspiradas por Dios. Resumiendo, los Caballeros Templarios creían firmemente en Dios, pero no aceptaban a Jesús como parte de la Santísima Trinidad o como "hijo de Dios".

Los pocos templarios que no confesaron, o que posteriormente repudiaron las mismas confesiones por haber sido inducidas bajo tortura, fueron condenados por herejía a morir en la hoguera. En el caso de Jacques de Molay, después de ser torturado por casi siete años, finalmente se rindió en 1314. Aunque él también repudió su confesión, Felipe lo condenó a la hoguera en la Ile de la Cité (cerca de la Catedral de Notre Dame). Mientras la sentencia estaba siendo ejecutada, se dice que Jacques de Molay gritó que el Rey Felipe y el Papa Clemente serían llamados muy pronto para responder por sus acciones ante Dios (ambos hombres murieron antes de un año).

La presión pública sobre los Caballeros Templarios provocó que Felipe el Justo dejara la suerte de ellos en manos del Papa Clemente V. Aunque el Pontífice estaba controlado por el Rey, sentía cierta simpatía por los templarios debido a que no habían sido perseguidos fuera de Francia, siendo hallados inocentes de todos los cargos en los juicios celebrados en otros países como Alemania, Portugal y España. El Papa Clemente diseñó un acuerdo en 1312 con el cual disolvió la Orden de los Caballeros Templarios, entregando todos sus activos a los Caballeros de la Orden del Hospital de San Juan (también conocidos como la Orden de Malta) y mantuvo el castigo en sus misericordiosas manos.

Los Caballeros Templarios estaban terminados, y la época de su "Camelot", tanto como la del mismo Rey Arturo, se desvaneció en la historia. La Iglesia Católica se quedó con el grueso de la riqueza y las numerosas reliquias que escondían, las cuales están ahora ocultas y resguardadas. Parece una coincidencia que todos los grupos o personas que estuvieron cerca de averiguar la verdad sobre Jesús, siempre fueron acusados de herejes y posteriormente ejecutados.

El final... o ¿no?

Aunque presuntamente los Caballeros Templarios desaparecieron, algunos de los miembros sobrevivientes se integraron a la Orden de Malta, otros formaron órdenes con diferentes nombres tales como los Caballeros de Cristo en Portugal y los Caballeros de Montessa en España. Incluso se dice que algunos viajaron al Nuevo Mundo más de 100 años antes de la expedición de Colón. En general, los académicos están en desacuerdo con esta última afirmación, pero recientes descubrimientos arqueológicos en Nueva Escocia, que han empezado a ser estudiados, podrían ser la confirmación de esta historia.

La tragedia de los Caballeros Templarios fue haberse vuelto demasiado ricos y poderosos. El tiempo marcó su destino, desde los originales nueve piadosos caballeros motivados por el fanatismo de la Primera Cruzada, hasta su caída con miles de sus miembros presos y torturados. Debe tomarse en cuenta que la época medieval no era fácil; el fanatismo y celo religioso reinaban impunes junto con la constante competencia por los cargos, el poder y las riquezas por parte de una multitud de reyes y gobernantes. Inevitablemente, todo lo anterior creaba el ambiente propicio para que abundaran la crueldad y las guerras, mientras los pobres trataban de sobrevivir. También era una época en que la clase media no existía y los ricos abusaban de los pobres virtualmente esclavizándolos. Nobles y reyes constantemente luchaban por obtener tierras, riquezas y poder usando al pueblo como "carne de cañón", así como fuerza de trabajo para sus cultivos.

Evidentemente, los Caballeros Templarios fueron parte de esos tiempos, y no precisamente unos santos. Trataban a sus enemigos con ferocidad y crueldad, sin mostrar ningún remordimiento o misericordia cuando los torturaban, violaban, saqueaban y asesinaban; no eran propiamente un grupo de "buenos cristianos", al contrario, demostraban el fanatismo de su fe con la refinación de sus atrocidades. Debido a la necesidad de mantener el orden a medida que fueron creciendo en número, empezaron a admitir a miembros de dudosos antecedentes. Muchos eran simplemente criminales en busca de la salvación prometida por la Iglesia, a quienes lucharan en las Guerras Santas. La mayoría de sus miembros no tenían educación, siendo hombres que cumplían las órdenes de sus superiores sin cuestionárselas, muchas veces llevándolos a un supuesto martirio redentor.

El verdadero legado de la Orden está en los secretos que guardaron durante los turbulentos tiempos de su existencia. Yo siento que la verdad eventualmente saldrá a la luz a través del descubrimiento de reliquias religiosas que todavía no se han encontrado, y que seguramente estremecerán nuestro mundo. Pero no es menos cierto que cuando la religión construye su poder y riqueza sobre la base de mentiras y engaños, finalmente debe pagar las consecuencias.

Francine dice que muchos de los templarios supervivientes fueron de hecho asimilados por otras órdenes, mientras algunos se unieron a diferentes sociedades secretas, y otros más se escondieron para continuar sus actividades en la clandestinidad. Señala que varios de ellos han reencarnado y viven en los tiempos presentes trabajando activamente para revelarnos la verdad sobre Jesucristo, estimulados por los recuerdos de su vida pasada. También afirma que la historia de la formación de los Caballeros Templarios está muy cerca de la interpretación dada por Sandy Hamblett en *The Templar Papers* (recopilada y editada por Oddvar Olse). Para quienes deseen leer más sobre el tema, este libro es un buen punto de partida.

CAPÍTULO SIETE

LA ORDEN
DE MALTA

*L*a sociedad secreta conocida como "la Orden de Malta" es una orden religiosa perteneciente a la Iglesia Católica, previamente reconocida por el Papa en el año 1113 d.C. Originalmente fundada como una orden monástica hospitalaria (existente en esa forma hasta el día de hoy) por el Hermano Gerard, también conocido como el Beato Gerard, junto con otros hermanos que prestaban servicios en un hospicio en Jerusalén.

En esa época diferentes órdenes monásticas entrenaron a sus miembros como caballeros guerreros (como los benedictinos que conformaron los Caballeros Hospitalarios, originalmente una Orden para el cuidado de enfermos en Jerusalén). A mediados del siglo XII, la Orden Hospitalaria estaba claramente dividida en dos grupos: los que trabajaban con los enfermos y los que eran miembros de la rama militar. De esa manera, los Caballeros Hospitalarios junto con los Caballeros Templarios se convirtieron en una orden militar para defender a los peregrinos que viajaban a Tierra Santa. Posteriormente, evolucionaron en un poderoso grupo cristiano cuyos miembros fueron distinguidos combatientes en las batallas contra los musulmanes por el control de Jerusalén y Tierra Santa. Sus soldados vestían un chaleco negro con este símbolo:

Inicialmente, el Hermano Gerard consiguió de Jerusalén y tierras aledañas, dinero y terrenos para la Orden. Debido a que los Caballeros Hospitalarios todavía eran considerados como una orden religiosa, les fueron concedidos privilegios especiales por el Papa. Por ejemplo, los miembros respondían únicamente a la autoridad papal, no tenían obligación de pagar diezmos y se les permitía tener edificios y propiedades. En el apogeo del Reino de Jerusalén, la Orden tenía 140 propiedades en el área y 7 grandes fuertes.

Cuando Acre fue capturada por los musulmanes en 1291, la cristiandad fue expulsada de Tierra Santa, obligando a la orden del Hermano Gerard a buscar refugio en Chipre. Sin embargo, no queriendo involucrarse en la política de esa turbulenta región, buscaron un asentamiento más permanente capturando la isla de Rodas en 1309. Cuando los Caballeros Templarios fueron perseguidos y sus propiedades confiscadas por la Iglesia Católica y el Rey Felipe el Hermoso en 1312, muchas de esas propiedades fueron entregadas a los Caballeros

Hospitalarios, conocidos en ese momento como la "Orden de Rodas". Posteriormente, se convirtieron en propietarios de tierras en España, Inglaterra, Francia, Alemania e Italia, transformando la orden monástica en una organización que ostentaba una enorme riqueza. También se vieron forzados a asumir una naturaleza más militar por la necesidad constante de combatir los piratas beréberes, junto con las invasiones del Sultán de Egipto en 1444, Mehmed II en 1480 y Suleiman en 1522.

Cuando la orden fue derrotada por Suleiman, se les permitió a los Caballeros Hospitalarios replegarse a Sicilia. Después de siete años, durante los cuales vagaron por diversas partes de Europa, les fue concedida la residencia en Malta en 1530 por el Rey Carlos I de España, con la aquiescencia del Rey de Sicilia. Fue entonces cuando la orden empezó a ser conocida como la "Orden de Malta", aunque trasladaron sus cuarteles centrales a Roma en 1834 donde todavía existen. Esto se debió parcialmente, a la captura de Malta en 1798 por parte de Napoleón, porque aún desterrados, el grupo mantuvo su nombre convirtiéndose en la "Soberana Orden Militar de Malta".

Con el advenimiento de la Reforma, estados protestantes como Alemania (bajo los luteranos) e Inglaterra (bajo el Rey Enrique VIII) confiscaron propiedades de la Orden de Malta, reduciendo drásticamente su riqueza. Después de ser derrotados por Napoleón, entraron en un proceso de cambio hasta su reorganización y reconocimiento con estatus de "Gran Maestro" por parte del Papa, en 1879. (Un Gran Maestro equivale a un jefe de estado y tiene el rango eclesiástico de Cardenal, en lo que a la Iglesia concierne).

Fue también durante esos tiempos de turbulencia que fue creada la rama conocida como la "Más Venerable Orden de San Juan de Jerusalén". Este apéndice protestante de la Orden de Malta fue reconocido por la orden católica en 1963. También es interesante destacar que a ambas órdenes les fue otorgada soberanía y estado legal como observadores en las Naciones Unidas. Esto significa que pueden emitir pasaportes con inmunidad diplomática, lo cual hacen con frecuencia.

Prácticas y relaciones cuestionables

Lo que hace de la Orden de Malta una sociedad secreta es su juramento de obediencia al Papado. Aunque proclama ser una organización abierta para todo el mundo, sólo unos pocos laicos llegan a ser aceptados como miembros. Para pertenecer a la élite, se debe ser católico y tener un linaje de sangre real de por lo menos 100 años.

Muchas de las alianzas y acciones de la Orden de Malta tanto en el pasado como en el presente, son clandestinas por naturaleza, principalmente debido al control por parte del Vaticano. Por ejemplo, la Orden fue vinculada con el *"rat run"* (término coloquial en inglés para referirse a "atajo", como fue conocida la ruta de escape creada después de la Segunda Guerra Mundial, para permitir a científicos y oficiales de alto rango nazi, evadir los juicios de crímenes de guerra). El rumor dice que a algunos de estos criminales les fueron emitidos pasaportes de la Orden de Malta, facilitando de esta manera el escape de Alemania hacia América. Reinhard Gehlen, jefe de inteligencia del frente oriental de los ejércitos de Hitler, fue incluso condecorado por la orden con la "Gran Cruz al Mérito".

La Orden de Malta es conocida por su posición anticomunista originada en sus raíces católicas y aristocráticas. Esta postura la llevó a desarrollar fuertes lazos con la CIA y a involucrarse en la Guerra Fría con

Rusia. De hecho, uno de los padres fundadores de la CIA, William "Wild Bill" Donovan, fue reconocido con la "Gran Cruz de la Orden de San Silvestre" por el Papa Pío XII. Esta es una prestigiosa condecoración papal y el mayor reconocimiento católico jamás recibido por un estadounidense.

La influencia de la Orden de Malta es todavía muy fuerte en Latinoamérica y África. Dentro de sus miembros han estado individuos tales como el fugitivo nazi Otto "Scarface"(cara cortada) Skorzeny, quien más tarde se estableció en España con la ayuda del dictador Francisco Franco; Juan Perón, presidente y dictador de la Argentina, sobre quien recientes documentos de la CIA comprueban su involucramiento en el lavado de oro nazi a través del Banco del Vaticano; el general Augusto Pinochet de Chile, conocido por matar y torturar miles de chilenos durante su reinado de terror; y el Conde Umberto Ortolani, embajador de la Orden ante Uruguay, generalmente considerado como uno de los cerebros de la infame logia P2, la cual tiene muchos ex-nazis y fascistas como miembros.

Los miembros de la Orden de Malta han tenido otras alianzas de naturaleza cuestionable con la ayuda de altos funcionarios de la Iglesia Católica y el Vaticano. Por ejemplo, Joseph Retinger, uno de los fundadores del Grupo Bilderberg, ex-miembro de la Orden y agente del Vaticano. El Cardenal Francis Spellman de Nueva York, supuestamente involucrado en el golpe militar de Guatemala en 1954, donde fueron asesinadas miles de personas y en el cual la CIA admitió su complicidad. Spellman también ha sido relacionado con el grupo P2 de Suramérica a través de una larga asociación con uno de sus más reconocidos miembros, el arzobispo Paul Marcinkus, director del Banco Vaticano. De Marcinkus se sospecha estar involucrado en numerosos negocios ilegales, sobre los cuales la justicia nunca logró interrogarlo debido a la inmunidad de la que gozaba siendo empleado del Vaticano.

Marcinkus fue también sospechoso de haber tomado parte en el complot que causó la muerte del Papa Juan Pablo I. El pronto fallecimiento del Pontífice y sus circunstancias, dieron lugar a la teoría de su envenenamiento, que fue rápidamente silenciada por la Iglesia. Muchos piensan que fue asesinado porque era demasiado honesto y quería que la Iglesia tuviera una naturaleza más ecuménica o quizá, porque sabía demasiado sobre los asuntos ilegales manejados por el Banco del Vaticano. El Cardenal Spellman también era un viejo amigo de Wild Bill Donovan, quien se cree fue la cabeza de la Orden de Malta en Estados Unidos por casi tres décadas.

La Orden de Malta está muy involucrada con el objetivo de lograr que Europa acepte tener un sólo presidente, aspecto evidenciado por los esfuerzos de su miembro y ex-presidente de Francia, Valery Giscard d´Estaing, ahora también apoyado por Inglaterra, Francia, Alemania, Italia y España. De hecho, varias de estas llamadas sociedades secretas medievales están trabajando vigorosamente dentro del campo político actual. Esto se debe a que en la Edad Media el mundo estuvo básicamente gobernado por la realeza y la religión, mientras que hoy en día el control lo tienen los políticos y el dinero. Muchas de estas organizaciones encubiertas, sencillamente, siguen la huella del poder..., y de esa manera es como se mantienen vivas.

CAPÍTULO OCHO

LA ORDEN
ROSACRUZ

*E*n el inicio de este capítulo, me gustaría dar a conocer algunas observaciones personales sobre la Orden Rosacruz. Aunque no soy uno de sus miembros, siempre he sido admiradora de este grupo, y cuando he ido a Egipto en mis viajes patrocinados, es increíble la cantidad de rosacruces que van conmigo. Supongo que esto tiene mucho sentido porque gran cantidad de los miembros originales de esta sociedad secreta, fueron gnósticos y guardianes de sus conocimientos misteriosos (hablaré más sobre esto en el capítulo 15).

La Orden Rosacruz más grande en estos días es la "Antigua y Mística Orden de la Cruz Rosada (AMORC por sus siglas en inglés)" con sus cuarteles generales en San José, California. Como vivo en la misma ciudad, tengo conocimiento personal del planetario y museo egipcio existentes dentro de sus cuarteles generales, los cuales mis hijos y nietos adoran visitar.

AMORC alega no tener ninguna asociación religiosa, afirmando que sus creencias no interfieren con las de ninguna fe. Me imagino que esto depende de la interpretación, porque sus enseñanzas están relacionadas con áreas de superación personal e iluminación, y estoy segura que ciertos fundamentalistas e iglesias conservadoras no estarían muy complacidas con temas como la reencarnación, viajes del alma o astrales, parapsicología, meditación y otros parecidos. Desde luego, para alguien como yo eso no es un problema. Creo que AMORC tiene un buen currículum, pero esto es obvio, pues no soy conservadora en mis creencias, todo lo contrario, predico la tolerancia religiosa, creo en la reencarnación y en la inmortalidad del alma. Después de todo, soy gnóstica y eso es lo que hacemos.

Antecedentes de la Orden

Es generalmente aceptado que los comienzos del movimiento Rosacruz fueron entre los siglos XV y XVII, aunque algunos creen que datan del tiempo de los antiguos egipcios. Independientemente de la fecha en la que se iniciaron, sus orígenes están cubiertos de misterio. De acuerdo con la leyenda más popular, el grupo se creó gracias a un monje llamado Christian Rosenkreuz, nacido en Alemania en 1378. A la tierna edad de 16 años viajó a Damasco, Egipto y Marruecos, donde supuestamente maestros musulmanes le impartieron enseñanzas sobre las artes ocultas. Cuando regresó a Alemania se dice que empezó la Orden Rosacruz con tres monjes del claustro donde fue educado originalmente. Rosenkreuz amplió la membresía a ocho monjes y construyó el *Spiritus Sanctum* o la Casa del Espíritu Santo, terminada en 1409.

La Casa del Espíritu Santo se convirtió en la tumba de Rosenkreuz cuando murió en 1484 a la edad de 106. La ubicación de la tumba estuvo perdida por aproximadamente 120 años, siendo descubierta nuevamente en el año de 1604, para supuestamente generar así la resurrección de la Orden. El renovado interés ha sido atribuido a los trabajos del pastor luterano alemán llamado Johann Valentin Andrae (1586-1654). Evidentemente, Andrae deseaba crear un grupo dedicado a la reforma de la vida social, para lo cual publicó tres documentos describiendo la leyenda rosacruz: *The Fama Fraternitas of the Meritorious Order of the Rosy Cross (Fraternidad de la meritoria orden de la Cruz Rosada)* (1614), *The Confession of the Rosicrucian Fraternity (La confesión de la fraternidad rosacruciana)* (1615), y *The Chemical Marriage of Christian Rosenkreuz (El matrimonio químico de Cristian Rosenkreuz)* (1616), este último supuestamente escrito por el propio Christian Rosenkreuz en 1459.

Es aquí donde la controversia surge amenazadora, debido a que los grupos rosacruces modernos tienen diferentes opiniones sobre la historia de Rosenkreuz. Algunos creen que existió, como aseguran los documentos anteriores, otros ven la historia como una parábola indicadora de verdades más profundas, y todavía hay otros que piensan que Christian Rosenkreuz es un seudónimo de uno o más personajes históricos (la mayoría cree que se trata de Francis Bacon). Como nadie ha podido obtener una prueba definitiva sobre la existencia de Rosenkreuz, los tres documentos publicados por Andrae tuvieron un instantáneo y profundo efecto. Las sociedades rosacruces surgieron rápidamente y el símbolo de la rosa y la cruz se volvió muy popular (muy bien pudo haberse originado en el escudo de armas de Andrae, el cual supuestamente tenía una imagen similar).

Junto con la leyenda de Christian Rosenkreuz, hubo una menos conocida, propuesta por un grupo rosacruz-masónico conocido como "La cruz dorada y rosada" en el siglo XVIII, que también describe los inicios de la orden. Según esta versión, el movimiento empezó en el año 46 d.C liderado por un gnóstico visionario alejandrino llamado Ormus. Él y sus seis seguidores evidentemente fueron convertidos a la cristiandad por el discípulo Marcos; haciendo de esa manera que el rosacrucismo quedara formado por una combinación de la cristiandad con los antiguos egipcios y los misterios gnósticos. Otros más creen que la secta empezó con el Faraón Akhenaton en el antiguo Egipto.

No obstante lo anterior, Rosenkreuz es reconocido por la mayoría de los rosacruces como su fundador. Cuando nuevamente su tumba fue encontrada y abierta en 1604, muchos documentos de antigua sabiduría fueron supuestamente hallados, los cuales se dice son usados en las enseñanzas de la orden actualmente. En su viaje al Medio Oriente y África, Rosenkreuz estudió alquimia, astrología, magia, exorcismo, la Cábala y otros temas místicos. También analizó la tradición pitagórica de conceptualizar objetos e ideas en función de sus aspectos numéricos. Presuntamente, aprendió nombres sagrados y seráficos y fue ungido como maestro por místicos musulmanes.

La Orden Rosacruz se esparció por toda Europa rápidamente, ganando a su favor defensores como el inglés Robert Fludd (1574-1637), quien era también, supuestamente, Gran Maestro del Priorato de Sión y quien ulteriormente publicara *A Compendius Apology for the Fraternity of the Rosy Cross* (Compendio de una Apología de la Fraternidad de la Cruz Rosada); y Michael Maier (1568-1622), médico alquimista que ayudó a introducir esa práctica dentro de la filosofía del grupo. Consecuentemente, los rosacruces demostraron tener supuestos poderes curativos, los cuales eran conceptuados como un regalo de Dios.

Ciertamente, los rosacruces fueron magnánimos en cuanto a adquirir conocimientos. Parte de sus enseñanzas y filosofías parecen provenir del budismo, cristianismo, gnosticismo, hinduismo, filosofía hermética y enseñanzas mágicas y esotéricas islámicas, junto con la Cábala.

También parecen haber tenido interacción y alguna influencia en la masonería, como lo indica el hecho de haber encontrado su símbolo en ciertos rituales de las logias Artesana o Azul. De hecho, la estructura de los rosacruces es similar a la de la masonería en el sentido de tener diferentes niveles de progreso en el conocimiento secreto. En mi investigación, también encontré vinculaciones con los Iluminados y el Priorato de Sión. Alrededor de 1530 (más de 80 años antes de la publicación del primer manifiesto de los rosacruces), está documentada la presencia de la cruz y la rosa en el convento de la Orden de Cristo en Portugal, casa de los Caballeros Templarios (los cuales sobrevivieron en Portugal como la "Orden de Cristo").

La Orden Rosacruz es considerada como un "mundo interior" dentro del cual se encuentran lo que ellos llaman grandes "Adeptos", cuyo conocimiento, poder y sabiduría los convierten prácticamente en semi-dioses en comparación con los hombres comunes. También tienen una organización conocida como el "Colegio de los Invisibles", considerada como la fuente de información tras el movimiento Rosacruz. El grupo definitivamente cree en el aprendizaje esotérico y utiliza la astrología sagrada y otros métodos para obtener desarrollo espiritual y auto-conocimiento. Creen que solamente existen dos vías para llegar a la libertad divina: conocimiento y amor. Sienten que todo el significado del universo está explicado en su símbolo (la rosa floreciendo en la mitad de la cruz) y que los seres humanos deben desarrollar la capacidad de amar a todas las criaturas, comprender las leyes que gobiernan el mundo y ser capaces de proceder a través de la intuición y de la inteligencia del amor, en todas las causas y sus correspondientes efectos.

En el siglo XVIII, las logias organizadas de la Orden Rosacruz habían elaborado rituales de admisión, siendo también este el tiempo en el que fueron consideradas más secretas. Algunos de los símbolos usados en sus rituales eran:

- Una esfera de vidrio sobre un pedestal que tenía siete escalones y estaba dividido en dos partes representando la luz y la oscuridad.

- Tres candelabros colocados en un formato triangular

- Nueve vasos simbolizando las propiedades masculinas y femeninas
- Un brasero
- Un círculo
- Una servilleta

El iniciado se enfrentaba a los acostumbrados procedimientos rituales simbólicos de muerte y renacimiento, aceptaba apoyar a los hermanos y llevar una vida virtuosa.

Debido a que sus creencias fundamentalmente están basadas en las de otros grupos, es difícil identificar con exactitud cuáles son las doctrinas específicas de la orden, pero parecen tener mucho del gnosticismo, lo mismo que partes positivas de otras filosofías. No encontré que tuviesen un conocimiento escondido que no pueda ser obtenido en cualquier otra parte, simplemente, están interesados en vivir bajo sus propias reglas y perfeccionarse a través del aprendizaje. No hay menciones al Nuevo Orden Mundial ni indicios de que estén en la política. Más bien, aparecen muy involucrados en las artes, música y literatura; siendo reservados y practicando sus creencias. Creo que la Orden Rosacruz, tal como existe hoy, es una organización buena y respetable.

CAPÍTULO NUEVE

EL PRIORATO
DE SIÓN

*U*na de las sociedades secretas que llamó ampliamente la atención pública, gracias al éxito del *Código de Da Vinci*, es el Priorato de Sión. Algunos dicen que el grupo ni siquiera existe, pero la historia y yo también, disentimos. Como ya hemos visto, hubo una orden monástica católica en Jerusalén al mismo tiempo que los Caballeros Templarios. Esto ha sido probado por la existencia de una bula papal donde se establece que la orden tenía monasterios y abadías en el Monte Carmelo en Palestina, lo mismo que propiedades en el sur de Italia y Francia; además, una organización llamada Priorato de Sión fue inscrita en la oficina de registros en Annemasse, Francia en 1956.

Los problemas que la gente tiene para aceptar la existencia del Priorato de Sión surgen directamente de un hombre, Pierre Plantard, quien parece haber creado una mentira que recorrió toda Europa. Plantard simpatizaba con los nazis, era anti-semita y se jactaba de tener amistad con gente prominente; presuntamente fue secretario general y luego Gran Maestro del Priorato de Sión. Es esta última afirmación la que metió a Plantard en muchos problemas.

Mientras Plantard prestaba servicio en el Priorato en 1960, tal parece que falsificó documentos relativos a la sobrevivencia del linaje sagrado de los merovingios, una línea de los reyes francos. Estos documentos, a su vez, fueron usados como parte de la investigación para el libro *El Enigma Sagrado*. Cuando los autores Michael Baigent, Richard Leigh y Henry Lincoln publicaron su trabajo en 1982, rápidamente se convirtió en un éxito en ventas, desatando una controversia mundial sobre la premisa de la existencia actual de un linaje descendiente directamente de Jesucristo.

El Enigma Sagrado causó tal sensación después de su publicación, que posteriormente fue puesto en la lista de libros prohibidos por la Iglesia Católica. *El Código de Da Vinci* de Dan Brown (novela inspirada sobre la premisa del trabajo de investigación de Baigent, Leigh y Lincoln) y otros libros que le siguieron, continuaron exponiendo la teoría controversial de los descendientes de Jesucristo que sobrevivieron hasta nuestros días y del Priorato de Sión como guardianes del secreto. Desgraciadamente, cuando finalmente Plantard admitió haber falsificado los documentos porque quería crear la ilusión de que él también era parte del linaje merovingio, los académicos se volvieron en contra del libro *El Enigma Sagrado* por haber utilizado fuentes que habían demostrado ser probablemente falsas. *El Código de Da Vinci* también ha sido ampliamente atacado y varios libros se han escrito en un intento de ridiculizar la premisa.

Seguramente, usted está pensando que todo este asunto de los hijos de Jesús desapareció, ¿cierto? Pues no, no desapareció, y de hecho, ¡se está volviendo más popular! En gran parte, se debe a la publicidad generada en todo este desorden, ocasionando que los académicos cristianos salieran en manada de donde menos se los esperaba, a defender lo que sintieron como un ataque a la Iglesia Católica, la cristiandad y el mismo Jesucristo. (Como el viejo dicho de *Hamlet:* "La mujer protesta mucho, ¿no cree?").

En el transcurso de este fervor internacional, muchos empezaron a examinar los documentos que habían sido encontrados sobre el Priorato de Sión y terminaron contactando a Pierre Plantard... quien estaba muy deseoso de hablar. Casi al mismo tiempo que Plantard aseguró ser parte del linaje merovingio, se comprobó que sus pretensiones eran falsas, y para empeorar las cosas, terminó admitiendo que él y un cómplice habían falsificado los documentos descubiertos por Baigent, Leigh y Lincoln que les habían servido para sustanciar el argumento del linaje. Plantard renunció como Maestro del Priorato de Sión en 1984, después de sufrir pública humillación, y murió en febrero de 2000. Cualquiera pensaría que la controversia sobre esta orden murió después de la confesión de Plantard, pero al contrario, surgió con más fuerza gracias al *Código de Da Vinci* y desde entonces no ha sucumbido.

Una de las razones por la cual la controversia aún existe es el hecho de que aunque se sabe que los documentos que Baigent, Leigh y Lincoln encontraron en la Biblioteca Nacional de París fueron falsificados por Plantard, parece haber algo de verdad en ellos... y esto lleva hasta la Orden de Sión, que existió en el siglo XII. La pregunta sería entonces: ¿dónde consiguió Plantard la información para forjar estas falsificaciones? ¿Realmente, se puede pensar que un bribón como Pierre Plantard haya dedicado tanto tiempo a esta increíble e intrincada trama, sin tener conocimiento de que alguna vez esto saldría a la luz? Si los autores de *El Enigma Sagrado* no hubieran descubierto los documentos, ¿estarían todavía acumulando polvo en la Biblioteca Nacional? ¿Existe todavía el Priorato de Sión? Y si es así, ¿todo el escándalo sobre Plantard fue una cortina de humo para cubrir sus actividades? Los teóricos de las conspiraciones piensan así y continuarán manteniendo vivo este controversial tema.

En mi investigación, descubrí que Napoleón había saqueado el Vaticano y llevado consigo cajas de información y tesoros de regreso a Francia. Aunque el gobierno francés presuntamente devolvió algunas cosas, se quedaron con incontables documentos secretos. Ésta muy bien puede ser la explicación de por qué documentos sobre el Priorato de Sión estaban en la Biblioteca Nacional de Francia. La confesión de haberlos colocado allí por parte de Pierre Plantard siempre me ha parecido un poco sospechosa, especialmente si consideramos el hecho de que enfrentaba numerosos cargos criminales, lo que lo podría haber motivado a hacer una confesión falsa para obtener publicidad o para escapar a la persecución de la justicia.

Esto *es* lo que sabemos

En pocas palabras, vamos a refrescar lo que sabemos sobre el Priorato de Sión (lo referido en el capítulo 6). Un cónclave de monjes calabreses salió de la Abadía de Orval, Bélgica, en el año 1090, en peregrinación hacia Tierra Santa. Cinco años más tarde, se lanzó la Primera

Cruzada que terminó recuperando Jerusalén de manos de los musulmanes en 1099. Uno de los actores más importantes en el éxito de esta cruzada fue Godfrey de Bouillon, el devoto caballero francés a quien mencioné anteriormente. Si recuerda, después de la recuperación de Jerusalén, el grupo de monjes calabreses y otros eligieron a Godfrey como Rey *de facto* de Jerusalén, título que él rehusó, aceptando en su lugar el de "Protector del Santo Sepulcro". Posteriormente, fundó un grupo de 12 caballeros llamado la "Orden del Santo Sepulcro", el cual evolucionó en los Caballeros Templarios (de nuevo, ver capítulo 6).

Debido al apoyo que los monjes calabreses le daban a Godfrey, basado en la creencia de que era descendiente de los merovingios y consecuentemente del Rey David y de Meroveo, él les construyó una abadía en el Monte Sión. En algún momento entre 1099 y 1118, se cree que este grupo de monjes (ahora llamado la Orden de Sión), y los hombres que más tarde serían conocidos como los Caballeros Templarios, se unificaron en una sola organización bajo el mismo liderazgo. No hay ninguna documentación escrita sobre este evento, pero de hecho, la Orden de Sión sí ocupó una abadía en el Monte Sión hasta cerca del año 1291, cuando Jerusalén fue capturada de nuevo por los musulmanes. El Monte Sión es también el sitio donde los Caballeros Templarios tenían sus cuarteles generales.

Aunque hay algunas disputas respecto a la fecha exacta de fundación de los Caballeros Templarios, la orden fue formalmente reconocida por el Papa en 1139; y de acuerdo a *El Enigma Sagrado,* los templarios y la Orden de Sión permanecieron como aliados hasta el evento conocido como "el corte del olmo" en Gisors en 1188.

En la historia de los templarios también hay referencias al simbólico corte del olmo y al primer Gran Maestre del Priorato de Sión, llamado Jean de Gisors, quien fue Maestre del castillo y las tierras donde el incidente tuvo lugar. Yo dudo que esto haya sido una coincidencia.

La separación de la Orden de Sión y los Caballeros Templarios, evidentemente no fue conflictiva y supuestamente, se mantuvieron en contacto durante siglos. Más aún, se cree que las dos organizaciones compartieron mucha información y conocimiento, manteniendo constante comunicación a pesar de estar separadas. Después de salir de la abadía en Jerusalén, la Orden de Sión parece haber existido por varios siglos hasta que finalmente fue absorbida por los jesuitas en el siglo XVII. Es interesante destacar que en el siglo XVIII, los jesuitas fueron proscritos por la Iglesia Católica, estatus que se mantuvo hasta su reivindicación en 1814. ¿Pudo esto deberse a la influencia de la incorporación de la Orden de Sión?

Recuerdo que cuando hacía mis estudios de Teología en la universidad, aprendí sobre la proscripción de los jesuitas y el peligro de ser excomulgados por la "Madre Iglesia". Más tarde, de un momento a otro, se les permitió regresar siendo bienvenidos. ¿Pudo esto deberse a que sabían demasiado y fue el caso, como dice el dicho de "mantén cerca a tus amigos, pero mucho más cerca a los que saben demasiado"? Usualmente, los jesuitas se han caracterizado por ser eruditos y muy brillantes, razón por la cual estoy segura que, actualmente, deben tener más información de la que han revelado.

También hay varias conexiones entre la Orden de Sión, formada por monjes Calabreses y la Orden de los Carmelitas. Por ejemplo: San Bartolo, fundador de los Carmelitas originados en Calabria; Fray Lippi, tutor de

Botticelli, vivió en Calabria y fue conocido como "el Carmelita"; Santa Teresa de Lisieux aparece en muchas iglesias de la orden, así como algunos de sus homónimos: Teresa de Ávila, Carmelita y mística, y la Madre Teresa de San Agustín, monja carmelita que fue asesinada por fanáticos durante la Revolución Francesa. (Estoy muy cercana a las carmelitas por mi querida amiga, la Hermana Emmanuel, quien está en el convento de Spokane en el estado de Washington).

Alguna evidencia señala que después del corte del olmo, la Orden de Sión bien pudo convertirse en el Priorato de Sión o tuvo una división interna que resultó en la formación del mismo. De acuerdo con *The International Encyclopedia of Secret Societies and Fraternal Orders* de Alan Axelrod, había nueve grados en el Priorato de Sión, los cuales estaban divididos en diferentes "niveles" o "provincias", muy parecidos a la forma como la estructura interna de los Caballeros Templarios estaba organizada. Debido a que durante varios años estuvieron juntos, bajo el mismo liderazgo, esto nos da otra indicación de que las dos organizaciones estaban muy ligadas. También hay algunas influencias masónicas en la estructura de ambos grupos, luego es muy posible que éstas hayan sido tomadas del Priorato por los masones, aunque es un hecho que todavía está por ser probado. Mientras algunos investigadores han dicho que el Priorato de Sión tiene sus inicios en creencias paganas, la historia muestra que se confesaban como católicos, aún teniendo diferencias con la Iglesia en algunos aspectos dogmáticos.

De acuerdo con los documentos descubiertos en la Biblioteca Nacional de París, la lista de los grandes maestres del priorato incluye a varios famosos. Dentro de la lista estaban: René d'Anjou, Nicholas Flamel,

Sandro Filipepi (mejor conocido como Botticelli, pintor renacentista), Leonardo Da Vinci, Robert Fludd, Johann Valenin Andrea, Robert Boyle, Isaac Newton, Charles Radclyffe, Charles de Lorraine, Charles Nodier, Víctor Hugo, Claude Debussy y Jean Cocteau.

Es interesante destacar que Leonardo Da Vinci parecía sentir "algo" por Juan el Bautista. Además, hay indicaciones en el sentido de que el Priorato de Sión y los Caballeros Templarios estuvieron muy interesados en el "juanismo" (referido a la creencia de Juan como el verdadero Mesías y Jesús como el falso, aunque algunos también creen en el papel de los dos como Mesías).

Presuntamente, cada gran maestre del priorato tomaba el nombre de *Jean* (francés para Juan) como título honorario representativo de Juan el Bautista. Personalmente, pienso que esto es una especie de aceptación a las primeras raíces de la filosofía judeocristiana (o gnóstica).

La analogía del jorobado

Creo que usted va a encontrar lo siguiente muy desconcertante. En el curso de las investigaciones para este libro, varias veces me encontré con el nombre de Víctor Hugo relacionado con el Priorato de Sión.

Como muchos de ustedes saben, mis antecedentes académicos son en el área de la literatura y la teología; y desde luego, también saben que Víctor Hugo escribió la famosa novela *El Jorobado de Nuestra Señora de París (Notre Dame)*. *Notre Dame* significa "nuestra señora" siendo interesante destacar que Hugo eligió esta iglesia para su historia, posiblemente como una especie de saludo a María Magdalena, ya que supuestamente era el

Gran Maestre del Priorato de Sión. Si usted aplica algo de "pensamiento no convencional", su historia tomará un significado simbólico completamente nuevo. De hecho, es posible que muchos de estos famosos escritores guardaran secretos que camuflaban en sus escritos con símbolos o claves...

Si no han leído el libro de Víctor Hugo, pueden entender la esencia de la historia en la película protagonizada por Charles Laughton y Maureen O´Hara. Es una excelente película, pero mucho mejor si lo leen, porque les revelará más secretos sobre Notre Dame. Sin embargo, y en beneficio de este capítulo, les haré un esbozo de los principales puntos del libro.

Es una historia sobre un niño, abandonado por su deformidad en las puertas de la Catedral de Notre Dame. El niño es adoptado por un obispo, supuestamente muy benévolo y crece bajo el nombre de Cuasimodo, convirtiéndose en un grotesco jorobado pero con un gran corazón. Se le permite permanecer en Notre Dame como campanero, trabajo que termina volviéndolo sordo. El único hogar que ha conocido es la iglesia y desde su posición en el campanario ha visto a una hermosa muchacha, llamada Esmeralda, ante quien cae rendidamente enamorado. Aunque sabe que, debido a su fealdad, es un amor sin esperanza, se contenta con amarla desde lejos.

¿Podría ser que Víctor Hugo haya puesto un delgado velo a las cosas feas y escondidas de la Iglesia Católica, retratándolas en la apariencia de un jorobado deforme y sordo, quien debe mantenerse escondido, porque en esa época las supersticiones populares decían que una anormalidad era señal diabólica? Esmeralda es la representación de la inocencia (y también el símbolo de María Magdalena o el principio femenino de la Madre Dios), causa del deseo pecaminoso del obispo, quien pretende lograr que Cuasimodo la secuestre para él. La confabulación fracasa y Cuasimodo, atrapado, es castigado. Durante su castigo, Esmeralda se compadece y le ofrece agua, lo que produce más encariñamiento. Vencido por la lujuria, el obispo le da una puñalada a uno de los pretendientes de Esmeralda, al mismo tiempo culpándola de intento de asesinato, lo que termina en su condena y sentencia a la horca. El jorobado la rescata antes de ser ahorcada, llevándosela a la torre del campanario y reclama "santuario o refugio" para ella (protección de la iglesia).

¿No es esto una analogía muy acertada de lo que estaba sucediendo con la Iglesia en esa época? El público no conocía la verdad (ni siquiera pensaba en ella) en lo que a la Iglesia concierne, pero Víctor Hugo trató de decirles: "las cosas no son siempre lo que parecen".

Continuando con la historia, el obispo es nuevamente rechazado por Esmeralda y hace arreglos para sacarla del santuario y entregársela a la gente para que la cuelguen. Cuasimodo trata de protegerla, pero de todas maneras Esmeralda termina siendo ejecutada, descubriendo así la clase de persona que era el obispo. Finalmente, el obispo encuentra la muerte cuando es arrojado desde lo alto de la torre del campanario por Cuasimodo, quien a su vez se encierra en la tumba de Esmeralda y muere...; no es un final feliz.

La mayoría de los estudiosos de la literatura han dado altas calificaciones a la obra por su apasionado relato y la lección que enseña a ser amables con los menos afortunados, sin embargo, nadie parece darse cuenta de la verdad resplandeciente. Hugo puso muchas claves en este libro: el santurrón obispo que termina siendo arrastrado por la lujuria y el poder (la Iglesia Católica); la muchacha inocente (María Magdalena); el deforme jorobado (la fealdad escondida dentro de la Iglesia) y finalmente, la escena donde el obispo es arrojado por el jorobado desde la torre (el triunfo de la verdad sobre las mentiras de la Iglesia).

Hugo trató de implicar el hecho de que la apariencia exterior de la Iglesia no representa su realidad de ninguna manera. Intentó llevar un mensaje que posiblemente sólo era conocido por el Priorato de Sión, esperando, igual que Leonardo Da Vinci, que alguien, algún día, pudiera ver a través del velo de los símbolos para desenterrar los secretos que la Iglesia estaba escondiendo.

El misterio de Rennes-le-Chateau

A continuación, otra enigmática historia que va a encontrar interesante. En 1885, el padre Berenger Sauniere fue asignado a la parroquia de Rennes-le-Chateau en el sur de Francia, la iglesia a su vez había sido dedicada a María Magdalena en el año 1059, posiblemente debido al hecho de que muchos creyeron que ella vivió allí después de la crucifixión. Me parece un pequeño milagro que *algún* edificio religioso haya sido dedicado a ella, especialmente cuando la Iglesia Católica la tenía en tan baja estima por esa época.

Siguiendo con este relato, el Padre Sauniere fue muy pobre hasta alrededor del año 1887, cuando supuestamente encontró uno o cuatro documentos escondidos (hay diferentes versiones) en una columna hueca dentro de la Iglesia. Después de leer el material, empezó a hacer excavaciones en el interior de la iglesia y supuestamente, descifró una dedicatoria en código en la tumba de Marie de Negre d´Ables, Señora de Blanchfort, en el cementerio en las afueras de la iglesia. Posteriormente, viajó a Carcassonne para hablar con el delegado del obispo que residía allí.

Después de esta reunión, la suerte del Padre Sauniere cambió de dirección. Recibió grandes cantidades de dinero y empezó a remodelar la iglesia con un estilo excesivamente recargado y colorido. Muchos se preguntan por qué renovó la Iglesia de la manera como lo hizo. Sobre el dintel del pórtico se encuentra esta extraña inscripción: "Este lugar es terrible", una estatua del demonio Asmodeo "protegiendo" la puerta y placas que mostraban las Estaciones del Vía crucis conteniendo extrañas variaciones sobre lo establecido, tales como un niño envuelto en una manta escocesa, Poncio Pilato cubierto con un velo, San José y María cada uno sosteniendo un niño Jesús (como implicando que el hijo de Dios tuvo un gemelo) y Jesús siendo llevado a (¿o desde?) su tumba por la noche.

Sin embargo, la pregunta más importante era cómo había conseguido Sauniere todo este dinero. Algunos dicen que lo obtuvo "vendiendo" misas (un acto de indulgencia mal visto por la Iglesia). Si bien es cierto que tales ventas *eran* una práctica lucrativa para muchos sacerdotes, la parroquia de Sauniere era muy pobre y él no viajaba mucho, entonces ¿de dónde salieron los acaudalados patrocinadores? La cantidad de riqueza que acumuló en tan corto período de tiempo señalaba hacia otra fuente. ¿Es una coincidencia que tanta riqueza haya aparecido justamente después de la visita a sus superiores? ¿Descubrió algún secreto importante y estaba chantajeando a las autoridades religiosas? ¿ O encontró un tesoro durante las excavaciones en la iglesia parroquial? El sacerdote rehusó revelar a persona alguna la fuente de su fortuna, aunque sí confió esta información a su ama de llaves de muchos años, quien murió de un derrame sin haber tenido la posibilidad de revelar el secreto.

Cuando murió el Padre Sauniere en 1917, varias personas dijeron que él había estado chantajeando a la Iglesia Católica porque el sacerdote que estaba recibiendo su confesión en el lecho de muerte, se negó a darle la absolución y los santos óleos. El origen de la fortuna instantánea de Sauniere nunca se ha explicado a satisfacción y permanece como un misterio hasta el día de hoy. La ironía de todo esto es que habiendo gastado todo el dinero que obtuvo, murió pobre.

El área de Rennes-le-Chateau se ha convertido en una gran atracción turística gracias al Padre Sauniere. Y hay otros misterios que también son causa del interés de los visitantes:

- ¿Vivió María Magdalena en la región y está enterrada allí?

- ¿Vivió Cristo con ella allí y fue enterrado en el mismo lugar?

- ¿Existe un gran tesoro de los Caballeros Templarios y Sauniere lo encontró?

Pierre Plantard asocia en sus documentos el Priorato de Sión con Rennes-le-Chateau, pero como se demostró su falsedad no se les puede dar mucha importancia. La única conexión que pude encontrar entre la Orden de Sión y los Caballeros Templarios está en el hecho de que ellos controlaron la región por un tiempo. Igualmente, después del incidente del corte del olmo (mencionado previamente en este capítulo), el cual básicamente los dividió en dos sociedades separadas, se generó la hipótesis de que los templarios estaban muy ocupados incrementando su riqueza y propiedades, mientras la Orden de Sión se enfocaba más en la parte "espiritual", de acuerdo con los principios originales de su agenda compartida, aunque nadie tiene la certeza. Consecuentemente, el misterio de Rennes-le-Chateau continuará siendo un secreto.

Donde hay humo, debe haber fuego

El género humano ciertamente tiene un especial interés por los secretos. Después de todo, un "¿quién lo hizo?" y su correspondiente solución ha creado todo un género de libros de suspenso que son ávidamente leídos alrededor del planeta. Cuando el pueblo es expuesto a un drama de la vida real ¡lo devora! Eso es lo que está ocurriendo en todo el mundo ahora. Desde el misterio del Padre Berenger Sauniere y Rennes-le-Chateau hasta la pequeña capilla Rosslyn cerca de Edimburgo, Escocia, con sus maravillosos trabajos de arte templario, junto con los supuestos códigos secretos en el trabajo de Leonardo Da Vinci, y las iglesias y catedrales a lo largo de Europa, Dan Brown y otros escritores han creado una de las mayores controversias de la Edad Moderna..., controversia que tiene a todo el planeta con la boca hecha agua, pidiendo más. Mi abuela acostumbraba a decir que donde hay humo, usualmente debe haber fuego. Bueno, ciertamente ha habido suficiente humo aquí, como para estar seguros que encontraremos la flama que fue encendida por el Priorato de Sión.

Anteriormente, comenté lo extremadamente difícil que es el estudio de las sociedades secretas y de los conocimientos que guardan, debido a la circunstancia de que los grupos originales generaron multitud de ramificaciones a través de los años y esas ramas se superponen constantemente unas con otras. El Priorato de Sión, los Caballeros Templarios, los cátaros, los rosacruces y los masones, todos están conectados. De hecho, se encuentran instancias en las cuales, miembros de esas organizaciones tienen contacto o relación entre ellos una y otra vez.

Los supuestos Grandes Maestres del Priorato de Sión estuvieron profundamente involucrados con las anteriormente mencionadas sociedades. Por ejemplo, descubrí que Robert Fludd lideró la exposición del pensamiento esotérico y presuntamente, fue uno de los responsables de traer el rosacrucismo a Inglaterra. En el caso de Robert Boyle e Isaac Newton estuvieron muy comprometidos con la alquimia y fueron confidentes mutuos. Charles Radclyffe promocionó el "Rito Escocés" de la masonería y fue amigo cercano a Andrew Ramsay, quien al mismo tiempo era buen amigo de Newton. Charles de Lorraine fue el primer príncipe europeo en convertirse a la masonería. Charles Nodier fue mentor de Víctor Hugo, Honoré de Balzac y otros que se inspiraron en el esoterismo y la tradición hermética. Claude Debussy era miembro integral de círculos simbólicos que también incluían a Oscar Wilde, W.B.Yates y Marcel Proust. Jean Cocteau estuvo asociado con los círculos de la realeza católica, sin embargo, sus trabajos de redecoración de las iglesias reflejan temas rosacruces. Todos estos individuos no sólo fueron anteriormente Gran Maestres del Priorato de Sión, también estuvieron involucrados con las filosofías esotéricas y las sociedades que las promovían (rosacruces, masones, etc.).

No estoy convencida que el Priorato de Sión exista hoy de la manera como Pierre Plantard quiso retratarlo. Puede ser que subsistan sus objetivos e intereses dentro de alguna otra organización o sociedad secreta, pero soy de la opinión que sus miembros fueron asimilados por los jesuitas alrededor de 1617. Si el Priorato ha sobrevivido hasta el día de hoy, seguramente tiene que haber sido con una ramificación o secta extremadamente clandestina que quizás esté operando bajo un nombre diferente.

CAPÍTULO DIEZ

EL OPUS DEI

*F*undado en 1928 en Madrid, España, por el sacerdote católico romano Josemaria Escrivá, el Opus Dei es una organización católica cuya misión es predicar, diciendo que todo el mundo está llamado a convertirse en santo y apóstol de Jesucristo y que la vida es el camino a la santidad. El nombre formal del grupo es: "Prelatura de la Santa Cruz y el Opus Dei", pero es comúnmente conocido solamente como el *Opus Dei*, el cual proviene del latín y significa: "Obra de Dios".

Años después de su fundación, el Opus Dei fue establecido como una prelatura personal por el Papa Juan Pablo II, convirtiéndolo en parte de la estructura institucional de la Iglesia. De hecho, muchos líderes católicos apoyan lo que ellos ven como enseñanzas innovadoras del grupo, junto con su completa fidelidad a la Iglesia, a través de las cuales se podrán resolver los grandes desafíos que presenta el mundo (ojalá así sea). Esta sociedad ha sido frecuentemente acusada por sus secretos, sus creencias ultraconservadoras, su agenda política de extrema derecha y sus métodos parecidos a los de una secta en relación con la forma como tratan a sus miembros.

Como un comentario al margen, algunos grupos de protección al público también han clasificado como cultos a Amway y otras organizaciones de mercadeo multinivel, a los carismáticos y a los pentecostales. Esto puede parecer ridículo, pero generalmente cualquier tipo de asamblea, religiosa o no, puede terminar percibiéndose como un culto. Sucede en todas partes, aún cuando haya las mejores intenciones, aparece el ego y las más simples enseñanzas se empiezan a complicar. La cristiandad es el mejor ejemplo de esto, porque la religión actualmente no sigue las enseñanzas de la palabra de Jesucristo y en su lugar ha puesto sus propios giros e interpretaciones.

De cualquier manera, el Opus Dei empezó a figurar en la conciencia pública debido al *Código de Da Vinci*, en el cual su autor Dan Brown lo llama "una secta católica", en la primera página de la novela bajo el título de "hechos". Posteriormente, Brown desarrolla la historia alrededor de la devoción fanática de uno de los miembros del grupo y el interés egoísta del jerarca, quienes son usados por un misterioso seguidor con motivos siniestros. Brown ha declarado que su retrato del Opus Dei estuvo basado en entrevistas con miembros actuales y pasados, y el estudio de varios libros sobre la organización.

Por supuesto, ya sabemos que *El Código de Da Vinci* alborotó un verdadero panal de abejas que puso a saltar tanto al Opus Dei como al Vaticano. Respondiendo a la controversia, el portavoz del Opus Dei, Marc Carrogio, emitió un comunicado que era básicamente una "bandera blanca" para Brown y sus editores, mientras que otros académicos cristianos calificaban el trabajo: o bien como simple y llana ignorancia, o como malintencionado.

Quisiera dejar una cosa bien clara: pienso que la mayoría de la gente olvidó por completo que *¡esta es una obra de ficción!* Debemos recordar que los autores tienen libertad de expresión y licencia literaria para proponer sus propios puntos de vista. Como no soy una escritora de ficción, siempre he tratado de hacer lo posible por respaldar mis palabras con evidencia, mientras que un novelista no tiene que hacerlo; aunque la mayoría trata de obtener la información correcta y en esta categoría incluyo al señor Brown.

Si usted piensa que el Opus Dei ha sido difamado, Dan Brown mismo atrajo sobre él todavía más odio, y montañas de libros tratando de desprestigiar tanto su trabajo como a él como persona. Historiadores y académicos cristianos han salido de todas partes a fustigar con sarcasmo su investigación y escritos, pero por mi parte (junto con millones de personas), encontré *El Código de Da Vinci* muy entretenido. Aunque una obra de ficción con frecuencia se basa en *algunos* hechos, esperar que el novelista gaste tanto tiempo en investigación como lo haría un académico, es ridículo y debe ser visto como tal. Siempre he pensado que si la gente tiene seguridad en sus creencias, no tiene la necesidad de gritar y criticar a los que los atacan, pero quienes están inseguros de su fe contraatacan algunas veces muy enconadamente.

¿De qué se trata esta sociedad?

El analista del Vaticano, John L. Allen Jr., recientemente condujo estudios sobre el Opus Dei debido a las críticas recibidas, concluyendo que algunos de los puntos de vista del grupo fueron mal interpretados debido a su naturaleza novedosa, aunque también afirmó que el Opus Dei era una de las fuerzas más controversiales dentro de la Iglesia Católica. En 1994, el doctor Massimo Introvigne (un conservador católico, académico y sociólogo de la religión) dijo que la organización había sido atacada solamente por ser una sociedad laica que está haciendo "regresar la religión". Realmente, no entiendo esto, porque simplemente no creo que la religión, alguna vez, se haya ido. Me imagino que el significado de esto es que la. mayoría de las sociedades laicas practican la religión en privado, mientras que el Opus Dei está haciéndolo "públicamente", por decirlo de alguna manera.

Cuando usted tropieza con citas de académicos y hombres presuntamente ilustrados, con frecuencia podrían dejarlo con esta pregunta: *¿Qué diablos significa eso?* Por ejemplo, el Papa Juan Pablo II una vez hizo esta declaración: "El Opus Dei es una institución que, de hecho, se ha esforzado no solamente en aportar nuevas luces a la misión de los laicos en la Iglesia y la sociedad, sino también en ponerlas en práctica. También ha luchado por poner en práctica las enseñanzas del llamado universal a la santidad y ser custodio de la santificación del trabajo ordinario en todos los niveles de la sociedad, y esto ha sido realizado a través del trabajo ordinario". Si usted no está confundido en este momento, ¡seguramente es mucho, mucho más inteligente de lo que yo haya sido alguna vez!

Para confundir aún más, mientras el Opus Dei parece querer miembros de altas calificaciones académicas, también cree en "valores familiares" y en el sometimiento de las mujeres. Obediencia incuestionable (muy útil para los gobiernos totalitarios) y un alto grado del poder regulador de la Iglesia son también parte del credo. Lo que se transcribe a continuación en itálicas, son doctrinas extraídas directamente del Opus Dei, con "mi granito de arena" agregado en paréntesis:

1. Santidad en la vida ordinaria: habiéndonos convertido en miembros de la familia de Dios a través del bautismo, todos los cristianos somos llamados a una vida de santidad. (Significando como lo hacen muchas religiones, que *su* religión es la única. No es una crítica, es simplemente que cada religión cree que es la única. Por otro lado, la esencia de la espiritualidad es que cada cual puede creer en lo que mejor le parezca).

2. Cualquier trabajo que hagan los cristianos es realizado con espíritu de excelencia como un servicio efectivo para las necesidades de la sociedad, trabajando por amor a Dios y a todos los hombres y mujeres. (Yo creo en esta parte mientras no haya un precio por pagar. En otras palabras, siempre debemos hacer el bien, no simplemente construir grandes iglesias. Más bien, construyamos casas para los ancianos, los niños y los desamparados, ¿no sería esta la verdadera forma de honrar a Dios?)

3. Amor por la libertad: los cristianos deben amar la libertad personal, tanto la propia como la de todos los hombres y mujeres. El mismo Hijo de Dios al convertirse en hombre hizo uso de la libertad humana. Como hombre obedeció a su Padre a través de toda su vida, aún en el momento de la muerte. Con su libre albedrío, cada persona dirige su vida hacia la eterna unión con Dios o eterna separación. (Creo que uno escoge sus propios caminos, sean estos duros, solitarios o fáciles, para glorificar y aprender de Dios, porque somos parte de Él. Con ese fin, Jesús estuvo predestinado para cumplir su profecía. Tampoco creo que la "separación eterna" exista, porque en el final de los tiempos aún los peores malvados serán acogidos por el infinito amor de Dios).

4. *Oración y mortificación: Amar la esencia de la santidad en constante e inocente oración.* (La oración es poderosa pero también puede ser "vivida" a través de las buenas acciones). *Leer las Sagradas Escrituras y ser devoto de la Virgen María* (¿A qué sagradas escrituras se refieren? Asumo que están hablando de la Biblia, pero la mayoría de los investigadores saben que fue extensamente corregida en los primeros tiempos de la Iglesia Católica y dudo que los seguidores de otras religiones consideren la Biblia como la única "Sagrada Escritura". En sus inicios, la Iglesia denominó el nacimiento de Cristo de una "virgen", sin embargo, no reconoció a María en calidad de santa hasta el III Concilio Ecuménico en el año 431 d.C, cuando la proclamaron *Theotokos,* que significa "portadora de Dios", "dio a luz a Dios" o "Madre de Dios", dependiendo de cómo quiera traducirlo. También le tomó mucho tiempo a la Iglesia aceptar completamente la llamada "Inmaculada Concepción", lo cual se hizo finalmente en 1854, y la "Asunción de María" en 1950. En otras palabras, la Iglesia Católica también ha tenido muchas controversias respecto a María).

La Mortificación, "oración de los sentidos", especialmente desde el amor y a través de una lucha sin cuartel para practicar todas las virtudes humanas. (Algunos miembros del Opus Dei son conocidos por practicar la mortificación, una forma de penitencia por negación, estilo de vida o por imposición de dolor o daño corporal. Ciertamente, ellos no están solos en estas prácticas, muchas órdenes a través de la historia también acostumbraban a ayunar, dormir en el suelo o en camas duras e incluso con clavos; usar camisas tejidas con pelo de caballo; vivir en pobreza, flagelarse o llevar puesto cilicios o instrumentos de tortura. A través de ese sufrimiento, creen estar rindiendo tributo a Dios en la forma de hacer penitencia por sus pecados. Algunos grupos todavía practican la mortificación y esto es una pena porque Jesús siempre dijo que nuestros cuerpos eran templos del Señor. Tampoco creo que un Dios amoroso sienta que esta es una forma apropiada de honrarlo).

5. Los cristianos deben darle la mayor importancia a la virtud de la caridad, de la comprensión, la compasión, la cortesía y la ayuda a los necesitados; liderando con el ejemplo el camino de la gente hacia Dios, fuente de paz y gozo. (Creo en todo esto).

6. Unidad de vida: Un cristiano no solamente busca a Dios en la iglesia, también debe hacerlo en las cosas materiales, evitando de esta manera llevar una doble vida: la vida de la fe divorciada del trabajo diario. En su lugar, el cristiano debe tener unidad de vida. (Estoy de acuerdo con esto mientras el materialismo no se apodere de la vida de la persona. Igualmente, el dogma católico exige que se debe asistir a la iglesia).

El Padre James Martin, jesuita y editor asociado de *America Magazine*, resta importancia a las anteriores sentencias, diciendo: "Estas cosas van desde el rango de la tradición piadosa cristiana hasta los dichos populares que se pueden encontrar en el *"Poor Richard´s Almanac"*

(N del T: Similar al Almanaque Bristol de los países de habla hispana). Desde luego, siempre habrá personas negativas, pero no es usual como en este caso, que la crítica provenga de alguien de la misma fe.

No obstante, y a pesar de las críticas a las que ha estado expuesto el Opus Dei, John Allen, Jr., informa que la organización tiene actualmente alrededor de 90.000 miembros. Continúa diciendo que "desde un punto de vista general, la interpretación de los hechos relacionados con el Opus Dei parece depender del enfoque individual sobre la espiritualidad, la vida en familia y la vocación religiosa". Aunque el Opus Dei es acusado de ejercer un estricto control sobre sus miembros a través de mantenerlos muy ocupados y de confesores internos, Allen dice que la mayoría de los miembros con los que se reunió eran personas saludables, equilibradas, en control de sus propias vidas y no representaban amenaza alguna para ellos mismos o para otras personas.

La mayoría de los miembros del Opus Dei cae dentro de la categoría denominada "supernumerarios", que incluye alrededor del 70 por ciento de la organización. Los supernumerarios son generalmente hombres y mujeres casados, con familias que llevan una vida normal con trabajos, hogar y demás, estando dispuestos a ayudar al Opus Dei en la medida en que tengan tiempo para hacerlo. Los "numerarios" compuestos por menos del 20 por ciento de los miembros, son hombres y mujeres que se han comprometido al celibato por razones apostólicas; pueden vivir en los centros del Opus Dei y usualmente trabajan tiempo completo en beneficio de la organización como profesores, administradores, etc. Los "asistentes numerarios", es otra clasificación mediante la cual se designa a las mujeres que desarrollan las labores domésticas necesarias en los diversos centros. Después están los "asociados", quienes parecen tener algún tipo de responsabilidades administrativas. La clasificación final de "clérigo" está compuesta por hombres jóvenes, elegidos de los miembros numerarios o asociados. Aunque John Allen, Jr., establece que los activos del Opus Dei, solamente en los Estados Unidos, están estimados en alrededor de $344 millones de dólares, esto palidece en comparación con el ingreso anual de la Iglesia Católica que alcanza alrededor de los $100 mil millones de dólares. El Opus Dei también ha sido criticado por su gran riqueza y el uso de la misma para ganar influencia política y poder, pero no hay suficientes hechos para respaldar esta afirmación.

Una crítica despierta preocupaciones

De acuerdo con Alan Axelrod en su *The International Encyclopedia of Secret Societies and Fraternal Orders:* "el Opus Dei dentro de la Iglesia Católica es la única prelatura personal. Esto le concede un alto grado de independencia con relación al control local por parte de parroquias u obispos, y de acuerdo a algunos escritores, esta independencia hace del Opus Dei efectivamente una sociedad secreta".

La agenda del Opus Dei es calificada por algunos críticos como la introducción a una forma casi "medieval" de cristiandad, además de considerar el apoyo de gobiernos y regímenes reaccionarios mientras estos sean nominalmente católicos. Uno de los análisis más inquisitivos sobre el grupo fue realizado por Michel Walsh, publicado en su libro *Opus Dei: An investigation into the Powerful Secretive Society within the Catholic Church,* en el cual lo vincula a movimientos políticos de extrema derecha y a los escándalos bancarios del Vaticano en 1980. Walsh afirma que posiblemente el Opus Dei haya tratado de comprar respetabilidad mediante la inyección de grandes sumas de dinero en el Vaticano, e igualmente lo implica en otros numerosos escándalos.

Otro crítico, el austríaco Franz Schaefer, ha señalado unos puntos que merecen especial consideración. Deben recordar que esta es la percepción de una sola persona y la incluyo aquí porque, como siempre, quiero permitirles que se formen su propio criterio.

Schaefer declara ser comunista y antiguo católico practicante. Sus antecedentes profesionales incluyen trabajos en ciencias de la computación y actualmente maneja su propia compañía de Internet. También ha estado involucrado en varios grupos activistas políticos en Europa y es conocido por su trabajo en ese terreno. Muchos lo llaman el devoto enemigo del Opus Dei, pero después de leer algunos de sus trabajos, tengo la impresión que simplemente es un escéptico de mente abierta. Él se ha hecho algunas preguntas que también yo me haría. Me considero bastante abierta y tolerante en aspectos políticos y religiosos, consecuentemente, de ninguna manera me molestan sus puntos de vista (a propósito, aunque definitivamente no soy comunista, pienso que el mundo occidental debe sobreponerse a la idea "McCartista" sobre lo que es el partido comunista. Los tiempos y valores han cambiado así como los comunistas de hoy, ya no son los mismos de las épocas de Stalin o Khrushchev).

Franz Schaefer, dice que su ensayo sobre el Opus Dei (**www.mond.at/~schaefer**) puede ser copiado pero advierte que es un trabajo en evolución (lo cual me parece razonable). Él cree firmemente que la organización es una secta fundamentalista que opera dentro de un ambiente católico, y aunque la Iglesia niega esta afirmación, él contesta diciendo que si usted lee el material relacionado con la formación del grupo, está seguro que va a estar de acuerdo con él.

Es particularmente crítico del fundador del Opus Dei, el Padre Josemaría Escrivá, quien más tarde fuera canonizado por el Papa Juan Pablo II (debo agregar que enfrentando fuertes críticas). Schaefer dice que Escrivá tenía tendencias fascistas y un enorme ego, afirmación que de alguna manera es confirmada por María del Carmen Tapia en su libro *Tras el Umbral: Una vida en el Opus Dei*. De acuerdo con Schaefer, Tapia argumenta haber trabajado muy de cerca con Escrivá en Roma por unos años, hasta que tuvieron un desacuerdo, ocasionando su encierro sin comunicación con el mundo exterior (con excepción de cartas introducidas clandestinamente) por alrededor de seis meses. Quizá podemos atribuir el tratamiento recibido por Tapia a un castigo por haber hecho algo en contra del Opus Dei, o pensar que su libro es una venganza en contra de la organización (como algunos lo hacen); pero otras cosas sobre Escrivá también han sido causa de preocupación, especialmente sus escritos que son la piedra angular de la filosofía del Opus Dei.

Por ejemplo, Schaefer dice que hay ideologías fascistas en las enseñanzas de Escrivá las cuales son muy fundamentalistas y no tienen tolerancia religiosa. Las directrices del Opus Dei y su fundador, algunas de las cuales se mantienen lejos del conocimiento público, implican "obediencia ciega de sus miembros" y se dice que Escrivá llama a sus escritos: "La obra de Dios". Adicionalmente, hay indicios, según Schaefer, de presión o control psicológico sobre sus miembros a través de "charlas" semanales donde los individuos son animados a compartir sus más íntimos secretos.

Aparentemente, la campaña de Schaefer en contra del Opus Dei, comenzó cuando un amigo suyo fue "absorbido por el culto" (sus palabras no las mías) y entonces empezó a buscar información sobre el grupo en Internet. Dice que encontró muy pocos datos (esto debió ser hace algún tiempo, porque actualmente hay toneladas), por lo tanto, resolvió investigar sobre el tema porque no quería que alguien más cayera en sus trampas.

Schaefer observa que la Iglesia ha acumulado una gran cantidad de polvo dogmático para cubrir el mensaje de Jesús, además, con la corrupta y sangrienta historia del catolicismo ¿por qué debemos creer que ahora es perfecta? (Dados los recientes escándalos bancarios y de abusos infantiles, puedo entender lo que plantea, pero también es cierto que aún en el gnosticismo ha habido sectas que se volvieron muy austeras, célibes y controladoras, aunque no duraron mucho tiempo y tampoco fueron perseguidas). Él cree que el Opus Dei interpreta mal las palabras de Jesucristo para adaptarlas a sus propios fines, y está convencido que el grupo está logrando tomar control de la Iglesia Católica. Destaca que cada día hay menos diferenciación entre las dos y que muchas de las posiciones importantes dentro de la Iglesia pertenecen ahora a miembros del Opus Dei.

Igualmente, piensa que la mayoría de las personas que se unen a la organización son rectas, de buen corazón, que aman a Dios y desean hacer buenas obras en su nombre. Asevera que usualmente son personas inteligentes e importantes porque de esta manera se puede incrementar la influencia del Opus Dei en la sociedad, y también pueden donar importantes sumas de dinero, pero lo que ellos no ven es el lado fascista de Josemaría Escrivá.

Franz Schaefer también dice (y yo así lo creo) que cuando se trata de enseñanzas religiosas, debemos usar nuestro discernimiento, poder hacer todas las preguntas, obtener todas las respuestas y de esta manera permitir a la mente inquisitiva, fácil acceso al tema. También estoy de acuerdo con él en la afirmación sobre usar nuestro intelecto, si no lo hacemos podemos asociarnos a grupos que van a quitarnos nuestro dinero o propiedades, elegir mesías, inducirnos al suicidio mientras esperamos por una nave espacial, controlar nuestras vidas y pensamientos, y exigir estricta obediencia.

Creo que si usamos nuestro raciocinio, sentido común y la intuición sobre lo que está bien y está mal, estaremos en el camino correcto y no habrá necesidad de sacrificar esas cosas ante *ninguna* organización, sin importar que tan "santa" parezca ser. Por eso es que siempre trato de prologar cualquier conferencia o material escrito con esta premisa: "Tome lo que quiera y deseche el resto, de otra manera se estaría convirtiendo en el único referente de la verdad (como muchos lo hacen)".

Estoy de acuerdo con el señor Schaefer respecto a que las enseñanzas elementales de Jesús son constantemente interpretadas, de acuerdo a la conveniencia de las iglesias cristianas para cumplir con cualquiera que sea su objetivo. Entonces, la base del mensaje gnóstico: "simplemente hacer buenas obras", parece terminar no teniendo importancia debido a la inclinación de la humanidad a complicar las cosas.

El Opus Dei comulga con la idea de la "inocencia frente a Dios", cuyo significado supuestamente es convertirnos en confiados e inocentes adoradores de Dios. Lo anterior es parte de *Camino*, escrito por el Padre Escrivá, piedra angular de la organización. Desdichadamente, los miembros del Opus Dei han tomado esta premisa en el sentido de obedecer en todo a los líderes del grupo, sin cuestionamientos, convirtiéndolos esencialmente en seguidores de una dictadura. No hacen sugerencias porque no les está permitido, y deben cumplir el mandato de asistir a las sesiones semanales en las cuales están obligados a compartir sus más íntimos pensamientos con las autoridades.

La cercana amistad que tenía Josemaría Escrivá con el dictador español Francisco Franco, es la razón por la cual el Opus Dei es frecuentemente llamado fascista. En su libro *Camino* pone de manifiesto que "todo debe estar bajo el control del líder"; y también en la misma obra, se dan las siguientes instrucciones: "No debe comprar libros sin el consejo previo de un cristiano experimentado. (¿Quién define qué o quién es un cristiano experimentado? ¿El clero?) Es muy fácil comprar algo fútil o dañino. A menudo la gente piensa que está llevando un libro debajo del brazo, cuando en realidad lo que lleva es un poco de basura".

Adicionalmente, María Tapia (¿recuerdan que la nombramos al comienzo de este capítulo?) dice que el Opus Dei lee el correo privado de los miembros. De hecho, ella afirmó que tenía la responsabilidad de preparar informes sobre todas las personas que asistían a sus charlas semanales y someterlos a sus superiores. Posteriormente, ellos le daban instrucciones exactas sobre lo que debía decir a cada uno de los miembros que le habían "abierto sus corazones". También se supone que tienen agentes cuya función es espiar en las "cibercharlas" públicas de los sitios de internet.

No deja de asombrarme la forma como la gente puede ser embaucada haciéndola pensar que una organización como el Opus Dei está "abriendo nuevos horizontes" religiosos o en el campo de la enseñanza. El concepto de llevar una vida santa como "vocación" por parte de los laicos no es nada nuevo, el mismo Jesús y otros líderes religiosos lo enseñaron, sin embargo, este grupo es lo que podemos llamar una organización "elitista" con sus riquezas y promesas de una vida mejor en el cielo. Ciertamente, no estoy en desacuerdo con la última parte, pero también es necesario darnos cuenta que debemos practicar la tolerancia, atenernos a la ley, mostrar amor y bondad a nuestro prójimo y hacer tantas obras buenas como podamos para ayudar a otros y a nosotros mismos a vivir en este plano negativo.

Esta organización también ejerce bastante influencia en el diario transcurrir de nuestro mundo: de acuerdo con estadísticas sometidas en 1979 por el entonces líder de la orden, el Opus Dei tenía miembros en 479 universidades, 664 periódicos, 52 estaciones de televisión y radio, 38 compañías de noticias y publicidad y 12 productoras de cine. ¡Es fácil imaginar cuántos miembros debe haber ahora en esos lugares!

Pero, ¿dónde está la prueba?

Concluyendo, el Opus Dei es una organización religiosa muy conservadora, tal como lo es la misma Iglesia Católica, razón por la cual el Papa Juan Pablo II, muy conservador él mismo, sentía una gran afinidad con ella. Y el Opus Dei es uno más de los grupos seculares dentro de la Iglesia. Lo que realmente me molesta mucho sobre la información que he compartido con ustedes en este capítulo, es que existen muy pocas pruebas concretas de alguna acción malvada o inapropiada por parte de ellos.

Seguramente soy extremadamente sensible, porque yo misma he estado sometida a afirmaciones en sitios de internet donde se dice que estoy muerta, que soy millonaria, que soy un fraude, una estafadora, que no soy psíquica, y que no escribo mis propios libros. La primera y la última son las más fáciles de probar: obviamente, estoy viva y tengo los manuscritos originales de los libros que he escrito. Respecto a las otras aseveraciones, puedo decir que tengo ingresos decentes pero la mayoría los destino a mi iglesia y al pago de sueldo de mis empleados. En términos generales, aunque no puedo decir que sea 100 por ciento acertada, mis capacidades ciertamente no están en duda, al menos por parte de las miles de personas a quienes he asesorado con éxito.

Sé por experiencia propia que cuando alguien es expuesto a la opinión pública, toda clase de rumores y falsedades vuelan como pájaros en el cielo. Por lo tanto, en defensa del Opus Dei, debo decir que sus críticos pueden tener algo de razón, pero parafraseando el viejo dicho: no se puede creer todo lo que se lee y oye. Estoy segura que el grupo tiene reglas y controles y, como en toda gran organización, siempre habrá miembros descontentos. Para estos últimos, es evidente que la organización no era lo que estaban buscando, provocando que en su mente y corazón, hayan sentido que fueron tratados de una manera inaceptable.

La ODAN (Cadena para crear conciencia sobre el Opus Dei, por sus siglas en inglés), que viene operando desde

1991, es una de varias organizaciones que tienen como objetivo brindar ayuda a antiguos y actuales miembros del Opus Dei. Declaran haber estado en contacto con gente alrededor del mundo sometida a prácticas cuestionables de la orden y, supuestamente, han hablado con antiguos y actuales miembros, así como también con sus padres, hermanos y amigos; con sacerdotes, obispos, ministros de campus y reporteros de la prensa católica y secular. Los resultados de los contactos hechos por la ODAN, parecen indicar que donde quiera que exista esta prelatura personal, hay controversia.

No pretendo apoyar o criticar al Opus Dei, pero en mis investigaciones no pude encontrar nada que los ligara a cultos clandestinos ni a acciones perversas. ¿Tienen secretos? Seguro que sí, como los Caballeros Templarios, los masones y Calavera y huesos, pero no pude encontrar evidencia de que estén cometiendo actos reprochables..., y ciertamente, sus acciones no están al nivel de algunas de las otras sociedades secretas. Sí, es cierto, el fundador del Opus Dei tuvo una relación cercana con Franco, pero no descubrí ningún indicio de que esa amistad hubiera ido más allá, y muy pocas pruebas de involucramiento político en general. También es cierto que a ellos les gustaría que todo el mundo se volviera católico, pero nuevamente, ¿qué religión no desea ser "la única"?

A diferencia de otros grupos encubiertos, el Opus Dei no parece ser guardián de secretos como es el caso de los Caballeros Templarios, masones y otros. Surgen como una entidad autónoma y centrada en ellos mismos, interesados solamente en acciones y obras santas. Sus métodos pueden ser cuestionados por algunas personas que los vivieron pero, como es el caso por ejemplo de la Cientología, definitivamente, el Opus Dei no es para todo el mundo. Por su naturaleza conservadora, van a tratar de ejercer tanto control como les sea posible sobre sus miembros, porque sienten que es la forma correcta de proceder. Entonces, si a usted no le gusta que lo controlen, definitivamente el Opus Dei no es para usted.

En mi investigación, no encontré nada indicativo de amenaza real, tal como toma del poder político o religioso (a diferencia de otras sociedades secretas). Me parece que mientras no haya lavado de cerebro o las personas sean obligadas a hacer cosas en contra de su voluntad, no presenten ninguna amenaza y vivan en armonía (varios de los miembros del Opus Dei parecen estar satisfechos con sus obras y celibato), debemos dejarlos tranquilos en la práctica de su religión o en lo que ellos sienten que es su propio camino, después de todo ¿la libertad de culto no es parte de los principios fundamentales de los Estados Unidos?

No sólo me parece sorprendente sino también trágico, que los padres fundadores de los Estados Unidos tuvieran que escapar de Inglaterra buscando libertad de la opresión religiosa, para terminar formando grupos con regulaciones más fuertes que aquellas de las que escaparon. Los puritanos, por ejemplo, eran un grupo muy duro en todos los aspectos, se les decía cómo vestir y cuándo orar, las mujeres debían obedecer a sus maridos, etc. La humanidad quiere ser libre, pero cuando obtiene la libertad da la vuelta e impone reglas, a menudo más estrictas que las que motivaron su liberación.

Siempre habrá segmentos de la población para quienes estas estrictas y controladoras organizaciones son atractivas, pero para la mayoría de nosotros lo que deseamos es la libertad de culto y de amar a Dios a nuestra manera. Supongo que siempre habrá líderes y seguidores, si usted es uno de los primeros, hágalo con amor y sin ego;

y si depende de la sabiduría de alguien por "encima" suyo, trate de estar siempre seguro, en su mente y corazón, de que está haciendo lo que es absolutamente correcto para usted. Si hay aunque sea una pequeña duda, entonces, será necesario revisar con cuidado su elección.

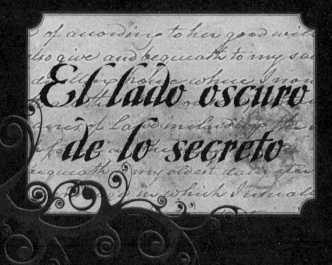

TERCERA PARTE

El lado oscuro de lo secreto

CAPÍTULO ONCE

LOS ILUMINADOS
(ILLUMINATI)

E l término *illuminati* que significa "los iluminados" en latín, ha sido usado por varias organizaciones, algunas reales y otras ficticias. Hoy en día, sin embargo, se refiere básicamente a la sociedad secreta los Iluminados de Baviera, una organización que supuestamente conspira con el objetivo de destruir las identidades nacionales de los países y de la Iglesia Católica, con la esperanza de establecer un Nuevo Orden Mundial (el cual explicaré en más detalle en el próximo capítulo). Pero, antes de entrar en el tema, vamos a darle una mirada a lo poco que conocemos sobre diversos grupos que a través de los años, se han denominado ellos mismos "iluminados".

El nacimiento de un poderoso movimiento

Aunque algunas asociaciones usaron el nombre *illuminati* en tiempos tan lejanos como los antiguos egipcios, quiero enfocarme en la época cuando aparecieron por primera vez en el mundo de la cristiandad. En el siglo XIV, el término *iluminados* fue usado por "Los Hermanos del Espíritu Libre", quienes defendían la idea de que los seres humanos podían hacer cualquier cosa que quisieran, siempre y cuando sus almas se mantuvieran por encima del pecado. Igualmente, por los Alumbrados de España, entre los siglos XV y XVI, que creían que la iluminación provenía del interior. Aunque estos diferentes grupos usaron este término, no quiere decir que fueran los precursores de los Iluminados de Baviera, irónicamente el honor parece corresponder a una organización islámica.

Una poderosa sociedad que se llamaba *Roshaniya* o "los iluminados" y que estaba basada en un culto secreto, surgió en el siglo XVI en las montañas de Afganistán. La Roshaniya fue fundada por un hombre llamado Bayezid Ansari, quien aseguraba que sus antepasados habían ayudado a Mahoma después de su escape de La Meca. Como recompensa por esa ayuda, Ansari insistía que le había sido concedido el acceso a los misterios de la religión Ismaelita, incluyendo un entrenamiento secreto que data de la época de la reconstrucción del Templo de La Meca por parte de Abraham.

Ansari abrió una escuela en la cual instruía a sus iniciados en las enseñanzas sobrenaturales de los ismaelíes y cada candidato debía pasar por una especie de prueba que incluía períodos de meditación silenciosa conocidos como *khilwat*. Era durante esos períodos de contemplación, que el iniciado recibía la iluminación emanada del ser supremo del grupo..., la cual implicaba la dirección del mundo por parte de una clase perfecta de hombres y mujeres.

Es evidente que Bayezid Ansari recibió enorme apoyo de mercaderes y soldados que le entregaron sus tesoros y apoyaron su escuela, lo mismo que el costoso pero efectivo sistema de espionaje militar y político que manejaba.

A medida que cosechaba éxitos, Ansari empezó a desarrollar la idea de que no había una vida después de la muerte como se creía; esto es, que no existía premio ni castigo después de la muerte, únicamente un estado espiritual en el que esencialmente usted podía "comer, beber y ser feliz." Entonces, como él no creía que hubiera castigo divino, dirigió las metas de la Roshaniya hacia obtener poder terrenal, predicando axiomas tales como: "Gane poder y cuide de usted mismo"; "No hay lealtades con excepción de la debida a la Orden" y "Todos los humanos que no puedan identificarse con nuestra seña secreta, son legalmente nuestra presa."

La marca de Adam Weishaupt

La orden secreta de Roshaniya existió por más de 100 años. En 1776, aproximadamente 40 años después de la muerte del último líder de la orden, un hombre llamado Adam Weishaupt formó un grupo parecido en Alemania. Weishaupt fue educado por los jesuitas en una región muy católica y conservadora del país, convirtiéndose posteriormente en profesor de Derecho Canónico en la Universidad de Ingolstadt.

Weishaupt, evidentemente se sintió desencantado con los jesuitas y la Iglesia en general, adoptando las enseñanzas anticristianas de la Doctrina Maniquea, a las cuales aparentemente fue expuesto en 1771 por un mercader alemán llamado Kolmer. El maniqueísmo es una religión fundada por el profeta Mani, en lo que hoy en día es conocido como Irán. Su dogma es dualístico en su naturaleza, proponiendo el concepto de que la luz y la oscuridad siempre están enfrentadas con el objetivo de ganar el alma de cada individuo. También adoptó los trabajos de filósofos radicales franceses, tales como Jean-Jacques Rousseau, y fue considerado un joven brillante.

En algún punto del camino, y gracias a su entrenamiento con los jesuitas, Weishaupt decidió que podía lograr poder, formando un grupo de conspiradores. El objetivo era liberar al mundo de lo que percibía como la dominación jesuita de la Iglesia en Roma, y de paso, regresar a la fe original de los mártires cristianos herméticos. Entonces, inicialmente con cinco miembros fundó la "Orden de los Perfectibilistas" o "Perfeccionistas", nombre que rápidamente fue cambiado a "los Iluminados" (el cual tradujo como "inspirados intelectualmente").

Weishaupt ha sido calificado como una persona falta de modestia o humildad, con un enorme ego y quien con frecuencia pasaba por encima del buen juicio cuando se trataba de lograr lo que ambicionaba. Buscó la ayuda de los masones, teniendo éxito al lograr ser parte de una logia menor en 1777 y, aunque también dentro de la membresía de los Iluminados había algunos masones, no existe evidencia de que alguna vez haya obtenido el apoyo total del grupo.

Quiero enfatizar que muchas sociedades secretas se basaron en la organización de los masones para determinar sus propias estructuras, y con frecuencia tomaron prestados nombres de la masonería para sus clasificaciones o niveles. Por otro lado, tanto los masones como los Iluminados parecen haber sido influenciados por otra sociedad secreta: los Caballeros Templarios.

Los teóricos de las conspiraciones han vinculado a los Iluminados con los masones, los Caballeros Templarios y los rosacruces, pero francamente no he podido encontrar pruebas tangibles sobre esto. En primer lugar, es bien conocido que los Iluminados estaban en contra de los rosacruces y sus filosofías, entonces podemos eliminar este enlace. En segundo lugar, los Caballeros Templarios se dispersaron mucho antes del surgimiento de los Iluminados y sus filosofías también eran contradictorias; consecuentemente, es muy poco probable que alguna rama de los templarios se hubiera unido a este grupo y a su filosofía del Nuevo Orden Mundial.

Por último, pero no por eso menos importante, sabemos que los masones siempre han sido muy criticados por los teóricos de las conspiraciones. Siendo la sociedad secreta más grande y probablemente más poderosa que existe, los han ligado con casi cualquier organización encubierta que alguna vez haya existido. Aunque reconozco el hecho de que Adam Weishaupt fue miembro de una logia, no creo que sus vínculos fueran mucho más allá de eso. La masonería no comulgaba con la clase de filosofía de los Iluminados y hubiera rechazado sus confabulaciones nacionalistas. También, como psíquica, pienso que la masonería es una organización aceptable.

Mi investigación indica que muchas sociedades secretas se han mezclado de cuando en cuando, lo cual en algunos casos es cierto, pero la mayoría de estas uniones ha sido exagerada o completamente falsa. Desde luego, es posible que los Iluminados hayan tratado de infiltrar varias de estas organizaciones y en algunos casos hayan tenido éxito en manipularlas o controlarlas. Pero su filosofía era tan radical, que para ser aceptados por asociaciones religiosas o fraternales, lo más posible es que solamente hayan sido acogidos por unos pocos "extremistas" parecidos a ellos.

Los miembros de los Iluminados deben jurar obediencia a la organización y sus superiores, y les son asignados ciertos rangos, los cuales se encuentran en tres divisiones principales:

1. "El parvulario" comprende niveles tales como: "Preparación", "Noviciado", "Minerval" e "Iluminados Menores".

2. "Masonería" incluye grados como: "Iluminados Mayores" e "Iluminados Dirigentes" (también llamado "Caballero Escocés")

3. La última clasificación, "Misterios", está dividida en dos: misterios menores con los grados de "Presbítero" y "Regente", y misterios mayores con los grados de "Mago" y "Rey".

De acuerdo con el autor Arkon Daraul, un miembro en los rangos menores del parvulario podía estar en la oscuridad con relación a cómo se manejaba la Orden y de qué manera ésta cumplía con el designio de "la liberación del mundo". A medida que esa persona progresaba a través de los diferentes grados y clases, se daría cuenta que una parte importante de su servicio a los Iluminados era ganar poder financiero y social para ellos. Esto no es nada diferente a lo que sucede en la mayoría de las sociedades secretas, en donde los iniciados o nuevos miembros no tienen la menor idea de lo que los superiores saben y, en muchos casos, desconocen totalmente los "verdaderos" planes hasta no avanzar a niveles superiores en la organización.

En su libro *"New World Order"*, William Still afirma que el famoso mago y ocultista, Cagliostro, fue iniciado dentro de los Iluminados en 1783, en Frankfurt, Alemania. Varios años después, supuestamente le contó a algunos sacerdotes católicos sobre su iniciación:

> Una caja de hierro llena de papeles fue abierta, y de su interior los iniciados tomaron un libro manuscrito, en su primera página se leía lo siguiente: "Nosotros, Grandes Maestros Templarios". Después seguía una especie de juramento trazado con sangre. El libro declaraba que el Iluminismo era una conspiración en contra de los tronos y altares, y sus primeros golpes serían lograr la caída de la monarquía francesa y, posteriormente, Roma debía ser atacada.

En los primeros 20 años después de su fundación, los Iluminados se expandieron y lograron ganar miles de miembros en varios países europeos. Mientras tanto, el gobernante conservador de Baviera y la Iglesia Católica (con la ayuda de los jesuitas) estaba tomando medidas drásticas en contra de Adam Weishaupt y sus asociados. Muy poco después, en 1784, cuando el gobierno bávaro prohibió todas las sociedades secretas, incluyendo los Iluminados y los masones, la organización colapsó en esa región y Weishaupt escapó del país.

Los Iluminados continuaron operando en otras regiones de Europa, aún bajo amenaza de arresto y persecución, y varias personas afirman que finalmente se disolvieron en 1790. Pero otros aseveran que existen todavía, y mi guía espiritual Francine está de acuerdo. Después de la eliminación del grupo en Baviera, sus actividades se volvieron extremadamente clandestinas.

Debido a la cantidad de publicaciones que han aparecido con recuentos exagerados sobre los Iluminados, después de su supuesta desaparición, algunos historiadores y estudiosos de las conspiraciones empezaron a vincularlos con las revoluciones francesa y rusa, llamándolos: "La sociedad más importante de conspiraciones y confabulaciones revolucionarias".

Por ejemplo, en la primavera de 1789, se los culpa de haber creado una escasez artificial de granos mediante la manipulación del mercado en Francia, como una táctica para comprobar sus teorías. El hambre resultante de la escasez disparó revueltas callejeras y, finalmente, la Toma de la Bastilla. Este hecho inició la Revolución Francesa y varios años de confusión en el país. Antes de que Napoleón tomara el poder, los Iluminados hicieron grandes progresos manipulando a los jacobitas para, finalmente, conseguir sus metas de derrocar a la monarquía y eliminar la influencia de la Iglesia Católica.

La Iglesia fue lesionada a tal punto que muchas de sus tierras fueron confiscadas y varios de sus sacerdotes asesinados. Los Iluminados hicieron un manejo tan subrepticio, que la monarquía no se dio cuenta de lo que estaba sucediendo hasta cuando fue demasiado tarde. (Francine dice que esta es la forma como trabaja la permisividad, estamos tan ocupados sobreviviendo que no nos damos cuenta que nuestra economía se está derrumbando..., exactamente como está sucediendo en los Estados Unidos ahora mismo con los precios de la gasolina). Para los Iluminados esto representó un gran éxito que los condujo a la realización de nuevas conjuras.

De la revolución al terrorismo

A medida que los Iluminados se volvieron clandestinos, sus miembros adoptaron una forma de filosofía revolucionaria. Aunque ellos tomaron prestado diversos aspectos de otros movimientos, en ninguna parte está mejor descrita su agenda que en el "Catecismo revolucionario", escrito alrededor de 1873 por un radical ruso llamado Sergey Nechayev.

A continuación, encontrarán unos pocos de los mandatos del Catecismo, numerados de la misma manera en que están en el texto. Decidí no transcribir la totalidad pues creo que con estos pocos ejemplos basta:

1. El revolucionario es un hombre condenado. No tiene intereses personales, negocios, emociones, afectos, propiedades ni nombre. Todo lo que hay en él está totalmente absorbido por un sólo pensamiento y una única pasión por la revolución.

2. El revolucionario sabe en lo más profundo de su ser, no sólo por las palabras sino por los hechos, que ha roto todas las ataduras que lo unen al orden social y al mundo civilizado con todas sus leyes, moral y costumbres, y con todas sus convenciones generalmente aceptadas. Él es su enemigo implacable; y si continúa viviendo con ellos es únicamente con el objetivo de destruírlos más rápidamente.

6. Implacable con él mismo, debe serlo también con los demás. Todas las gentilezas y sentimientos debilitadores de parentesco, amor, amistad, gratitud y aún honor, deben ser suprimidos en él para dar lugar

a una fría y simple pasión por la revolución. Para él existe sólo un placer, un consuelo, una recompensa, una satisfacción: el éxito de la revolución. Noche y día debe tener un solo pensamiento, un solo objetivo: destrucción despiadada. Luchar con sangre fría e infatigablemente por su meta. Debe estar preparado para destruírse él mismo, y destruir con sus propias manos cualquier cosa que se interponga en el camino de la revolución.

7. La naturaleza del verdadero revolucionario excluye todo sentimentalismo, romanticismo, apasionamiento y exaltación. Todos los odios y venganzas personales deben ser excluídos. La pasión revolucionaria se debe practicar en todo momento del día hasta que se convierta en un hábito. Debe ser empleada de manera fría y calculadora. A toda hora y en todo lugar el revolucionario debe obedecer, no a sus impulsos personales, sino a las órdenes de aquellos que sirven a la causa de la revolución.

13. El revolucionario entra en el mundo del estado, de las clases privilegiadas, de la llamada civilización, y vive en este mundo únicamente con el propósito de provocar el aceleramiento de la destrucción total. No es un revolucionario si tiene algún tipo de simpatía por este mundo. No debe dudar en destruir cualquier posición, cualquier lugar o cualquier hombre en este mundo. Debe odiar a todos y todas las cosas con igual aborrecimiento. Lo peor para él es relacionarse con los padres, amigos o amantes, porque dejaría de ser un revolucionario si es afectado por estas relaciones.

14. Teniendo como objetivo una revolución implacable, el revolucionario puede y, frecuentemente, debe vivir dentro de la sociedad, pretendiendo ser completamente diferente a lo que realmente es, porque debe lograr penetrar en todos los lugares, en las clases altas y medias, dentro de las casas comerciales, las iglesias y palacios de la aristocracia, y en los mundos de la burocracia, la literatura y el militar.

18. Hay una gran cantidad de necios en altas posiciones que no se caracterizan ni por su inteligencia ni por su energía, pero sí disfrutan de riqueza, influencia y poder en virtud de su rango. Estas personas deben ser explotadas de todas las maneras posibles; deben ser implicadas y enredadas en nuestros asuntos; sus sucios secretos deben ser sacados a la luz y deben ser transformados en esclavos. Su poder, influencia y conexiones, su riqueza y su energía serán una especie de tesoro inagotable y preciosa ayuda en todas nuestras empresas.

19. Hay una gran cantidad de funcionarios públicos y liberales de diversas gamas de opinión. El revolucionario debe pretender que colabora con ellos, debe seguirlos ciegamente y, al mismo tiempo, espiar sus secretos hasta que estén completamente en sus manos. Deben quedar tan comprometidos que no tengan ninguna forma de escapar y puedan ser usados para crear el caos dentro del estado.

¿No son estos mandatos aterradores? Yo pienso que también presentan una gran maldad, hasta el punto de preguntarme qué tipo de enfermo pudo escribir esta clase de cosas. Adicionalmente, todo esto nos afecta aquí, en casa, porque refleja la forma como muchos de los terroristas modernos piensan.

Como podemos ver, los miembros de los Iluminados llegan muy lejos con tal de cumplir sus objetivos, y promueven muchas de las cosas que la sociedad en general trata de combatir en nuestros días: totalitarismo, odio, terrorismo, chantaje y demás. Ellos no ceden en ninguna de estas premisas, simplemente se vuelven más violentos a medida que se incrementa su determinación de derrotar al cristianismo, los gobiernos, el orden social y las familias.

De acuerdo con muchos escritores, cuando los Iluminados se volvieron clandestinos, adoptaron una variedad de nombres en diferentes partes del mundo. Por ejemplo, en Francia se convirtieron en "el Club Revolucionario Francés" y "el Club Jacobino"; en Alemania llegaron a ser conocidos como "la Sociedad Thule", y en los Estados Unidos es el grupo conocido como "Calavera y huesos" (del cual hablé en el capítulo uno). Apenas en 1995, Gabriel López de Rojas fundó una orden en Barcelona, España, la cual se dice que está directamente vinculada con los Iluminados de Baviera.

Estoy segura que los Iluminados se han infiltrado en la mayoría de las sociedades secretas políticas tales como: el Concejo de Relaciones Exteriores, la Comisión Trilateral y el Grupo Bilderberg, así como el Vaticano y varios gobiernos del mundo. Sin embargo, Francine me asegura que a pesar de existir todavía, la organización ya no tiene el poder que una vez ostentó y, consecuentemente, su influencia es muy limitada.

No obstante, debemos estar vigilantes ante estos grupos que buscan el Nuevo Orden Mundial; después de todo, los Iluminados estuvieron a punto de lograr sus objetivos cuando Hitler y Alemania casi ganan la Segunda Guerra Mundial. En su libro *New World Order,* el escritor William Still dice que recientemente los Iluminados propusieron la destrucción de gobernantes y prelados alrededor del mundo, además, remover para siempre el sentido de nacionalidad local de las mentes de hombres y mujeres. La forma como presuntamente lo harían es mediante la infiltración en altas posiciones, en las áreas de educación, administración, prensa y política.

Estos grupos con planes diabólicos no se detienen ante nada para lograr sus metas, lo cual puede afectarnos a todos. Consecuentemente, a veces es mejor ser ligeramente paranoico para no caer en la apatía y una mañana despertarnos bajo el control de un nuevo gobierno que restringe nuestra libertad. Por eso, en este caso estoy del lado de los teóricos de las conspiraciones; y aunque el 75 por ciento de lo que ellos dicen pueda ser pura especulación, me preocupa el restante 25 por ciento.

Los Iluminados sobrepasan largamente a las demás sociedades secretas en cuanto a sus intenciones malignas; y su objetivo de un Nuevo Orden Mundial es también parte de numerosas organizaciones en las que ellos tienen influencia o control. Puedo decir sin ningún prejuicio que aquí estamos enfrentando una maldad genuina e inalterada. Ahora podemos ver por qué Hitler estaba tan cautivado por su filosofía. De todas las sociedades secretas sobre las que he leído o investigado, muchas de las cuales ni siquiera fueron incluidas en este libro, ésta es sin duda la más perversa.

CAPÍTULO DOCE

EL "NUEVO ORDEN MUNDIAL"

Como lo detallé en la primera parte de este libro, las principales sociedades secretas del área política tienen intereses en un "Nuevo Orden Mundial," aunque hay variaciones entre ellas respecto a lo que ese nuevo orden significa. Definitivamente, no es un concepto nuevo y puede diferir dependiendo de quién esté detrás del mismo; pero en este capítulo me limitaré a darle una interpretación general. ¡Prepárese para leer algunas cosas interesantes!

¿Un gobierno para todos?

Esencialmente, el Nuevo Orden Mundial se aplica al concepto de formar una organización global para gobernar el mundo por encima de los gobiernos nacionales y por el bien de la humanidad. En otras palabras, todos los países serían manejados por un sistema que controlaría la economía mundial, mantendría la paz con su propia fuerza armada (eliminando todos los demás ejércitos), y distribuiría la riqueza de las naciones prósperas a las pobres, de tal manera que toda la tierra pueda tener "un pedazo de la torta".

Esta sería una forma muy socialista (algunos dirían comunista) de organizar a toda la gente en el mundo, después de todo, ¿le gustaría responder ante un gobierno global en lugar del de su propio país? Pues bien, si algunos grupos políticos encubiertos se salen con la suya, esto bien podría convertirse en una realidad. En el caso de los Estados Unidos, ya no tendríamos nuestra Constitución o Carta de Derechos y, ciertamente, no tendríamos mucha libertad. Sin importar donde viva, probablemente no podría portar sus propias armas, tendría que aceptar un sistema monetario y económico mundial, el comercio tendría poca o ninguna restricción, las viejas leyes serían eliminadas para acomodar las nuevas (que posteriormente se harían cumplir por parte de una fuerza policial global), y la paz sería mantenida por un sólo ejército. Las religiones dejarían de ser entidades separadas y, posiblemente, una nueva fe mundial empezaría a existir. Nuevas leyes sobre la energía y el medio ambiente serían promulgadas; el transporte, la educación y las comunicaciones serían controlados por el gobierno único; los viajes seguramente serían restringidos; la libre empresa y los pequeños negocios serían eliminados (aunque dudo que pueda ser así); y todos los impuestos beneficiarían a cualquier persona en el mundo, al redistribuir la riqueza a las naciones pobres. Servicios sociales globales incluyendo salud, jubilación y control de nacimientos y de población serían regulados por la organización gobernante. Puedo seguir interminablemente pero creo que ya se hizo una idea general. En lugar de gobiernos individuales manejando sus propios países, tendríamos una sola entidad gobernando el mundo entero.

Muy bien, casi puedo oírlo diciendo: *Sylvia perdió la cordura*. Sin embargo, posiblemente haya países alrededor del mundo que tienen personal clave o "sembrado" por las sociedades secretas para quienes el Nuevo Orden Mundial es su propósito, con la regionalización como punto de partida. Por ejemplo en 1995, en el Foro sobre el Estado del Mundo, el antiguo Consejero de Seguridad Nacional del ex-presidente Carter, el señor Zbigniew Brzezinski, afirmó: "No es posible llegar a una forma de gobierno mundial a través de un solo y rápido salto, sino mediante una paulatina regionalización".

Si está pensando que definitivamente me volví loca, tenga en cuenta que H.G.Wells, un reconocido socialista, una vez dio una completa explicación de cómo el capitalismo occidental y el comunismo oriental podrían unirse en un sistema de gobierno mundial en el cual, decía él, los estados soberanos (países) dejarían de existir y "una cantidad innumerable de gente estaría en contra del Nuevo Orden Mundial y moriría protestando contra él." A continuación, algunas citas de gente famosa sobre este tema:

"El mundo está gobernado por personajes muy diferentes a los que imaginan las personas que no conocen lo que sucede tras bastidores."
Primer Ministro de Inglaterra Benjamin Disraeli (1844)

"Desde que entré en la política, con frecuencia los hombres me han confiado en privado su forma de ver las cosas. Algunos de los personajes más importantes en los Estados Unidos, en el campo del comercio y la industria, tienen temor a alguien o a algo. Ellos saben que hay un poder en alguna parte, tan bien organizado, tan sutil, tan vigilante, tan bien

entrelazado, tan completo y penetrante, que sienten que es
mejor no hablar en voz alta cuando lo condenan."
Presidente Woodrow Wilson,
*The New Freedom: A Call for the Emancipation
of the Generous Energies of a People* (1913)

*"Sería tan fácil para los países confraternizar en una
república mundial, como lo es para nosotros confraternizar
en la República de los Estados Unidos."*
Presidente Harry Truman (1945)

*"El caso de los gobiernos por las élites
es irrefutable...; el gobierno por parte de la gente
es posible pero altamente improbable."*
Senador J. William Fulbright (1963)

*"Finalmente, todos nosotros seremos juzgados
por nuestro esfuerzo para contribuir a la
construcción de un Nuevo Orden Mundial."*
Fiscal General Robert Kennedy (1967)

*"Desde mi punto de vista, la Comisión Trilateral representa
un eficiente y coordinado esfuerzo para tomar el control y
consolidar los cuatro centros del poder: político, monetario,
intelectual y eclesiástico. Todo esto es realizado con el interés
de crear una comunidad mundial más pacífica y productiva.
La verdadera intención de los Trilateralistas es la creación
de un poder económico mundial superior a los gobiernos
políticos de las naciones o estados involucrados. Creen
que la abundancia material que proponen sería suficiente
para eliminar las diferencias existentes. Como dirigentes y
creadores del sistema, ellos controlarán el futuro."*
Senador Barry Goldwater, *With No Apologies* (1979)

"El ulterior desarrollo del mundo es ahora
posible únicamente a través de la búsqueda de
un consenso entre la humanidad, para evolucionar
hacia un nuevo orden mundial."
Presidente de la Unión Soviética
Mikhail Gorbachev (1988)

"Estamos muy agradecidos con <u>The Washington Post,</u>
<u>The New York Times,</u> <u>Time</u> *magazine y otras grandes*
publicaciones cuyos directores han asistido a nuestras
reuniones y respetado sus promesas de discreción por casi
40 años. Hubiera sido imposible para nosotros desarrollar
nuestro plan para el mundo si hubiéramos estado expuestos
a la luz pública durante esos años. Pero el mundo es ahora
más sofisticado y está preparado para marchar hacia
un gobierno mundial. La soberanía supranacional
de una élite intelectual y de banqueros mundiales es
indudablemente preferible, a la auto-determinación
nacional practicada en los últimos siglos."
David Rockefeller, 1991 discurso
ante la Comisión Trilateral
(Fuente: *The New World Order: Chronology*
& Commentary por D.L. Cuddy, Ph.D.)

Los medios tradicionales tienden a ridiculizar a cualquiera que piense que existe un complot para crear un nuevo orden mundial. Bueno, tome en cuenta que muchos de los medios son propiedad o controlados por las mismas personas que apoyan ese concepto (ver la cita anterior de David Rockefeller).

Hay que entender que uno de los planes prioritarios de las sociedades secretas políticas es lograr primero la regionalización del poder y, posteriormente, convertirlo en un escenario mundial. Por ejemplo, en años recientes, hemos visto esto con la formación de la Unión Europea y la aceptación del euro como la moneda preferida en la mayoría de las naciones miembros. También la regionalización a través del Tratado de Libre Comercio de América del Norte (NAFTA por sus siglas en inglés) y la creación de la Organización Mundial de Comercio (WTO por sus siglas en inglés). Adicionalmente, varios países de Suramérica ya han adoptado el dólar como su moneda; la Unión Soviética cambió su forma de gobierno y economía drásticamente, y China está convirtiéndose aceleradamente al capitalismo.

Estoy consciente de que varias personas dirán que estoy convirtiendo en algo muy grande lo que parece ser de poca importancia, pero estos son los signos de la regionalización y la consolidación del poder mundial. Creo que vamos a seguir viendo la propagación de estas áreas de control en los próximos diez años, hasta el punto de tener diferentes partes del mundo usando el mismo sistema monetario y creando "bloques regionales de poder." Usted puede pensar que nada de esto pasará durante el término de su vida, pero aunque los cambios puedan parecer sutiles, en la medida en que progresen con mayor velocidad, definitivamente va a notar los signos del Nuevo Orden Mundial.

Las sociedades secretas que son parte de la confabulación para lograr un gobierno global piensan que el cambio sería en beneficio de la humanidad y del mundo; al mismo tiempo, varios teóricos de las conspiraciones sienten que es inevitable. Por supuesto, solamente Dios sabe lo que pueda suceder, pero al margen de los signos ciertamente preocupantes, no creo que exista alguna sociedad secreta que pueda llegar a ser lo suficientemente poderosa como para completar el dominio planetario. Puede haber varias que podrían ocasionar estragos y crear caos, pero igual que sucede con la religión, hay tanta diversidad en el mundo en función de culturas, gobiernos y países, que es difícil pensar en un gobierno mundial. Por otro lado, los instintos de supervivencia de la humanidad incuestionablemente impedirán que se llegue a un planeta verdaderamente en paz.

Como dicen en la escuela: el plano terrenal no está supuesto a ser totalmente dichoso..., después de todo es solamente temporal. En el Más Allá está nuestro *verdadero* Hogar, donde la tranquilidad y la felicidad interminables residen junto al amor todopoderoso de Dios, convirtiéndolo en un verdadero paraíso. Solamente recuerde que la vida humana nunca podrá reproducir en esta realidad, lo que nuestro Dios que es puro amor y perfección ha creado para nosotros en el Más Allá. No se supone que pase aquí, y no pasará.

CAPÍTULO TRECE

SCAN

*H*emos llegado a la que yo creo es la más secreta de todas las sociedades, de hecho es tan clandestina que ¡nadie sabe nada sobre ella!

Como dije anteriormente, hace varios años Francine, mi guía espiritual, nos dio información para el grupo de investigación sobre las organizaciones secretas que he cubierto en este libro, incluyendo a la que ella se refirió como SCAN. Sin embargo, a través de los años, y a pesar de una extensa investigación (y quiero decir verdaderamente extensa, haciendo parecer la sala de estar de mi casa como si ¡una fábrica de papel hubiera explotado dentro de ella!), no he podido encontrar el nombre SCAN en ninguna parte.

Mientras escribía este libro encontré varios sitios en Internet, artículos y volúmenes enteros dedicados a cada una de las sociedades secretas que he mencionado en estas páginas... exceptuando a SCAN. No hay referencias impresas en ninguna parte, e incluso eminentes teóricos de las conspiraciones no saben de su existencia.

Actualmente, estoy segura que la "Coalición Secreta para el Nacionalismo Americano" SCAN (por sus siglas ·

en inglés), es simplemente un término genérico para referirse a la "suprema" entre todas las sociedades secretas que están en el proceso de tratar de formar el Nuevo Orden Mundial. Sin embargo, mientras el Concejo de Relaciones Exteriores (CFR), la Comisión Trilateral (TC) y el Grupo Bilderberg (BG) piensan que la Organización de las Naciones Unidas es el candidato perfecto para supervisar un gobierno mundial, SCAN busca que todo esté bajo el control de los Estados Unidos.

Francine dice que debido a esto, el grupo está compuesto por 22 personas que dominan y manipulan organizaciones tales como: el CFR, la TC, el BG y los Iluminados, además de otras que no hemos cubierto en este libro (por ejemplo: el Club de Roma, los Grupos de la Mesa Redonda Rhodes-Milner y el Instituto Real de Asuntos Internacionales), e igualmente cualquier otra pequeña o gran asociación encubierta y grupo de expertos en el planeta. SCAN tiene sus manos puestas en todas las actividades imaginables que puedan tener influencia en el mundo; de hecho, varias sociedades secretas fueron formadas por este grupo de élite, para convertirse en cortina de humo de sus actividades y en un medio para alcanzar sus objetivos. SCAN usa tales organizaciones para contribuir al control de la industria, economía, clima político y ambiente social en el mundo. No tiene problema para operar dentro de cualquier sistema político, sea comunista, socialista, fascista o democrático, y también está involucrada en la elaboración de políticas religiosas.

Aunque los miembros de SCAN son tan poderosos que pueden regular la economía, el comercio mundial, las guerras y las elecciones, Francine dice que también hay un lado espiritual en ellos. Explicó que si no se vuelven demasiado poderosos, podrían traer al mundo un nuevo y pacífico orden global. Personalmente, pienso que el mayor peligro que representa una organización como esta es su naturaleza estrictamente secreta, la cual no permite que nadie diferente a los selectos 22 miembros tenga algún conocimiento sobre cómo piensan lograr sus metas. ¿Están manipulando a grupos con intereses especiales para que se enfrenten entre ellos? O, por el contrario, ¿están tratando de combinar estos mismos partidos en una fuerza viable para el Nuevo Orden Mundial? Nadie lo sabe.

Como ya dije, también me molesta no haber encontrado en todos estos años de investigación ni siquiera una mención de SCAN. Como parece una organización tan poderosa y clandestina, desconocida aún por los expertos, lo único que puedo agregar es la esperanza de que estén trabajando por el bien de la humanidad.

CAPÍTULO CATORCE

MENTIRAS
SOBRE
JESUCRISTO

*A*hora quisiera regresar al terreno religioso y concentrarme en el más grande secreto, por el cual varias de las sociedades sobre las que hemos hablado en este libro han llegado a asesinar para protegerlo. Un secreto que gira alrededor de Jesucristo.

Las primeras sectas cristianas adoptaron diversas formas de filosofías gnósticas, incluyendo el concepto de que Jesús *no* era el Hijo de Dios o Dios encarnado, sino solamente un mensajero divino. Las razones para esta creencia varían, pero la principal se relaciona con el hecho de que el Mesías no murió en la cruz y en su lugar tuvo una larga vida en la tierra como esposo y padre.

En junio de 1973, Francine mi guía espiritual, durante un trance investigativo, afirmó que el Vaticano ha escondido varios libros que debían estar en la Biblia que nunca fueron expuestos al público. Esto es lo mismo que Michael Baigent, autor de *Las Cartas Privadas de Jesús* (y co-autor de *El Enigma Sagrado y de El Legado Mesiánico*) sostiene que es verdad. Su teoría es que varios de estos "evangelios" fueron escritos por lo menos 30 años después de la supuesta muerte de Cristo.

De acuerdo con Francine, la Biblia cristiana no tomó su forma definitiva por lo menos en 300 años, hasta el Concilio de Nicea en el año 325 d.C. ¿Cuántos de nosotros podemos recordar todo lo que sucedió 30 años después de un evento determinado? Imaginen recordar algo 300 años después, especialmente si la mayoría de los eventos fueron transmitidos por tradiciones orales. La transmisión oral es siempre inexacta, porque la gente tiende a poner de su propia cosecha en la historia o añadir detalles para hacerla más dramática (e incluso para darse más importancia).

En todo caso, lo que mi guía explicó, es que el Vaticano está escondiendo la prueba de la supervivencia de Jesús a la crucifixión. Ya puedo oír a algunos de ustedes diciendo: "¡Sylvia, esta vez has ido demasiado lejos!" Bueno, mis queridos amigos, la verdad es que cada vez hay más evidencia y, aunque todavía no es incontrovertible, yo espero que lo sea con nuevos hallazgos arqueológicos o el descubrimiento de documentos perdidos que han estado escondidos por siglos. Entonces, exploremos la posibilidad de que este impactante secreto encubierto por tanto tiempo sea una realidad.

Lo que _realmente_ sucedió en la crucifixión

Por lo menos en tres ocasiones Francine ha manifestado que Poncio Pilato no deseaba la muerte de Jesús en la cruz, debido a que no representaba una amenaza para Roma. Además, la esposa de Pilato, a quien él adoraba y respetaba, tuvo un sueño la noche anterior al juicio persuadiéndola de rogar a su esposo para que no condenara al joven judío. Este hecho junto con la convicción de Pilato en la inocencia de Jesús, es mostrado en la Biblia en el pasaje donde el líder romano pregunta al pueblo: "¿Qué mal ha hecho este hombre?" y posteriormente dice: "Inocente soy de la sangre de este justo; allá vosotros" (Mateo 27). Esta última frase fue dicha mientras se lavaba las manos para salvar su responsabilidad.

Michael Baigent escribió que Jesús estuvo a favor de la obligación de pagar impuestos por parte del Sanedrín (Consejo supremo y tribunal de los judíos), lo cual le hizo ganar el afecto de Pilato y le demostró que no era un traidor a Roma. Recuerden que Cristo dijo: "Dad al César lo que es del César" (Marcos 12:17) reconociendo la obligación del pago de los impuestos.

El relato de Francine habla de una conspiración entre Poncio Pilato, Jesucristo y algunos de sus seguidores (por ejemplo José de Arimatea y quizás Nicodemo) para escenificar "una ejecución" que pareciera tan real como fuera posible. Pilato prometió hacer lo necesario para evitar la muerte del Mesías. Con ese fin, el líder romano programó el evento para que tuviera lugar el día antes del Sabbath, porque ese día no se permitían ejecuciones después de la puesta del sol, y tampoco durante el Sabbath mismo. Además, los cuerpos no podían ser dejados en la cruz después de ocultarse el sol. También tomó medidas para que la cruz tuviera un soporte para los pies y para que las piernas de Jesucristo no fueran quebradas; de esta manera podría apoyarse, erguirse y respirar (adelante daré más información sobre esto).

Aunque Jesucristo sí fue flagelado de acuerdo a las costumbres de la época, ciertamente no sucedió de la manera en que Mel Gibson lo muestra en su película *La Pasión de Cristo;* de hecho, le habían dado opio para aliviar el dolor. Cuando Cristo fue herido con una lanza en su costado (de nuevo como era la costumbre), lo hicieron con el cuidado necesario para no matarlo. José de Arimatea, un acaudalado médico, dice Francine, también estaba preparado para cumplir con su parte pues, cuando Jesús dijo: "Tengo sed", le dieron un tipo especial de sedante que José había preparado, dejándolo inconsciente.

En vista de que Jesús lucía como muerto, fue bajado de la cruz sólo unas pocas horas después de ser crucificado, mientras la mayoría duraba dos o tres días en agonía. Incluso, cuando en el Antiguo Egipto empalaban a los condenados, tomaba horas y a veces días llegar a la muerte. Desde luego estoy segura que Jesucristo pasó por una experiencia terrible, pero es difícil creer que un hombre saludable de 33 años pueda haber muerto en tres horas.

No está claro por qué los romanos no lo dejaron abandonado en el suelo, pues de esa manera seguramente hubiera muerto. En lugar de eso, José de Arimatea y varios otros lo llevaron inmediatamente a un sepulcro nuevo, labrado en la peña y de fácil acceso, cubriendo la entrada con una gran piedra; casualmente, ese sitio era propiedad del mismo José.

Un pequeño detalle frecuentemente pasado por alto es observable en Rennes-le-Chateau en Francia. En uno de los vitrales de la Iglesia de la Magdalena se observa a tres hombres llevando a Jesús a la tumba, mientras la luna está alta en el cielo. Ahora sabemos que Jesús no pudo haber sido enterrado tarde en la noche durante el Sabbath, luego esto indica que Él no estaba siendo llevado hacia la tumba, sino *fuera* de ella.

Ahora está lo relacionado con Nicodemo, a quien Jesús visitó durante toda su vida. Está registrado en varias publicaciones históricas que Nicodemo era un curandero con capacidad para ver el futuro, y fue visto entrando a la tumba de Cristo llevando especias y vestimentas. Francine cuenta que estos elementos no eran para prevenir la descomposición del cuerpo, porque los judíos no tenían costumbre de embalsamar, estas sustancias eran para revivir a Jesucristo.

Todo esto es pura fantasía, dirá usted. Bueno, vamos a revisar algunos hechos: las crucifixiones romanas garantizaban una muerte rápida mediante la rotura de las piernas del condenado, por lo tanto los soportes para los pies habían sido eliminados. Como puede imaginar, los crucificados que pudieran tener las piernas sanas y un apoyo para los pies, tendrían la posibilidad de empujarse ellos mismos hacia arriba, para descargar la presión del diafragma. Pero esto sólo servía para prolongar lo inevitable: el agotamiento llegaba y finalmente se producía la asfixia, algunas veces varios días después. Entonces, la pregunta es: ¿por qué a Jesús se le dieron las herramientas para prolongar su supervivencia en la cruz, aún cuando su crucifixión fue ejecutada sólo unas pocas horas antes del Sabbath? Los romanos rompieron las piernas de los dos ladrones, que también estaban siendo crucificados, entonces, ¿por qué no hicieron lo mismo con Él?

La herida en el costado de la víctima en la cruz tenía el propósito de verificar la muerte, y como en Juan 19:34 se establece: "Con una lanza, uno de los soldados perforó su costado (el de Cristo) e inmediatamente brotaron sangre y agua". Esto indica algunas cosas:

1. Había un aumento de líquido alrededor de su corazón y pulmones (común en las crucifixiones).

2. Jesús estaba vivo como lo demuestra la inmediatez del flujo líquido.

3. La perforación bien pudo haber contribuido a su supervivencia porque liberó la presión.

A pesar de lo anterior, los soldados lo declararon muerto (¿eran médicos, acaso?) y el cuerpo de Cristo fue removido inmediatamente porque la puesta del sol estaba próxima.

Ahora bien, para ser justos, los académicos cristianos dicen que la rápida muerte de Jesucristo en la cruz fue debido al trauma ocasionado por la inmisericorde flagelación, y es probable que haya muerto por una insuficiencia cardíaca. Destacan que estaba tan débil que no pudo cargar la cruz, cayendo varias veces camino al sitio de la crucifixión.

Sí, Jesús fue azotado antes del juicio, pero también fue presentado ante Pilato dos veces y enviado a Herodes. Se presume que caminó entre las diferentes cortes, cosa que no le hubiera sido posible hacer si hubiera estado flagelado al punto que lo presenta Mel Gibson en su película. Tampoco hay prueba de que los romanos no cumplieran con la ley judía de "no más de 40 latigazos" (Deuteronomio 25:2–3).

Adicionalmente, si, como afirma Francine, Pilato estaba en la conspiración para salvar la vida de Cristo, es dudoso que lo hubiera hecho golpear fuertemente. Aún así, es probable que los azotes lo hayan debilitado (aunque tenía sólo 33 años y era fuerte y saludable). Esto, junto con no haber dormido durante el juicio ante los ancianos judíos, con seguridad tuvo un efecto adverso. Además, cayó varias veces y se esforzó por cargar la cruz que pesaba 150 libras o más. No obstante, esa debilidad no necesariamente explica la supuesta rapidez de la muerte. Como señala la Biblia: "Pilato se sorprendió de que ya hubiese muerto. Y haciendo venir al centurión le preguntó si ya estaba muerto" (Marcos 15:44).

Los académicos cristianos podrían asegurar que Cristo en realidad murió en la cruz, pero sus argumentos empiezan a desbaratarse cuando son enfrentados a lo que pasó *después* de la crucifixión. Por ejemplo, si es cierto que Jesús resucitó ¿había alguna razón para remover la piedra que sellaba la entrada de su tumba? Después de todo, su cuerpo resucitado estaría en forma de espíritu y no podría ser retenido por ninguna estructura hecha por el hombre. Obviamente, fue necesario remover la piedra para que su cuerpo físico pudiera salir. Sé que algunas personas dirían que alguien removió el cuerpo de Cristo para resguardarlo y posteriormente, sepultarlo en otro lugar. Pero si Jesús ya tenía una tumba, ¿por qué razón cambiarlo? Y las preguntas sobre la credibilidad de su supervivencia no paran ahí.

Como sabemos por las Sagradas Escrituras, María Magdalena fue quien descubrió la tumba abierta (Marcos 16:9; Juan 20:1). Posteriormente, notifica a Juan, el discípulo amado, y a Pedro sobre su descubrimiento; ellos llegan para verificar lo que les dijo y se van, dejando a María sollozante y sola en la tumba. Ella vuelve a mirar adentro y lo que ve son dos ángeles que le preguntan: "¿Por qué buscáis entre los muertos al que vive?" (Lucas 24:5). Les explica que está buscando a Jesús para podérselo llevar: "Se han llevado a mi Señor y no sé dónde lo han puesto" (Juan 20:14). (Tome nota que ella no dice "enterrado").

Más tarde, María Magdalena ve a Jesús pero no lo reconoce. Piensa que es un hortelano y le pregunta: "Señor, si tú te lo has llevado, dime dónde lo has puesto y yo me lo llevaré" (Juan 20:15). La razón por la que

María no reconoce a Jesucristo es bastante obvia: estaba disfrazado y escondiéndose de los judíos. Además, ¿realmente creía esta mujer ser capaz de cargar el cuerpo de un hombre muerto? Desde luego que no, ¡ella sabía que Jesús estaba vivo porque había ayudado a bajarlo de la cruz!

Después que Cristo la llama por su nombre, ella lo reconoce. Él le dice que no lo toque, lo cual muchos cristianos creen que es debido al hecho de que todavía no había ascendido al cielo a presentarse ante su Padre. Sin embargo, quienes saben que Jesús sobrevivió interpretan esto de una manera un poco diferente: con sus heridas todavía sin sanar, simplemente, no quería que María le diera un emocionado abrazo, que le habría causado dolor.

Más adelante, de acuerdo con los Evangelios, Jesús se aparece ante sus apóstoles para probar que todavía está vivo. Esto es algo que no puedo entender cómo pudo ser malinterpretado, pero lo ha sido. Entonces, analicemos esto de principio a fin, empezando con Lucas 24:36–51 (tomando la traducción de George Lamsa del texto original en Arameo; mis comentarios están entre corchetes):

> Y mientras ellos aún hablaban de estas cosas, Jesús se puso en medio de ellos y les dijo: *Paz a vosotros; soy yo, no os asustéis;* entonces, asustados y atemorizados pensaban que veían un espíritu.[Tomen nota que ellos pensaban que Cristo era un espíritu, porque lo creían muerto]. Pero Él les dijo: *¿Por qué estáis turbados y vienen a vuestro corazón estos pensamientos? Mirad mis manos y mis pies, que yo mismo soy, palpad y ved, porque un espíritu no tiene carne ni huesos, como veis que yo tengo.* [Aquí nuevamente Jesús está tratando de explicar que no es un espíritu. Como he mencionado numerosas veces, los

espíritus no tienen heridas o apariencia sólida que se pueda tocar y sentir como usted o yo lo hacemos. Esto sólo puede significar una cosa: Cristo está vivo en un cuerpo real, no en un cuerpo glorioso]. Y diciendo esto, les mostró las manos y los pies. Y como todavía ellos llenos de gozo no lo creían y estaban maravillados, les dijo: *¿Tenéis algo de comer?*

Entonces le dieron parte de un pez asado y un panal de miel, y Él lo tomó y comió delante de ellos. [Nuevamente, con el acto de comer, Jesús muestra a sus apóstoles que está vivo: ¡Los espíritus no necesitan comida!] Y les dijo: *Estas son las palabras que os hablé, estando aún con vosotros: que era necesario que se cumpliese todo lo que de Mí está escrito en la ley de Moisés, en los profetas y en los salmos.* Entonces les abrió el entendimiento para que comprendiesen las Escrituras.

Y les dijo: *Así está escrito, y así fue necesario que el Cristo padeciese y resucitase de los muertos al tercer día; y que se predicase en su nombre el arrepentimiento y el perdón de los pecados en todas las naciones, comenzando desde Jerusalén, y vosotros sois testigos de estas cosas. He aquí que yo enviaré la promesa de mi Padre sobre vosotros; pero quedáos vosotros en la ciudad de Jerusalén, hasta que seáis investidos del poder desde lo alto.* [Se destaca aquí que Jesús únicamente dice que Él debía padecer y resucitar de los muertos para cumplir con las profecías sobre el Mesías. Él no dice que haya muerto o esté muerto, pero de hecho salió de su tumba y se dio a conocer al tercer día. Aunque esté vivo, de todas maneras está cumpliendo con las profecías tal como fueron escritas. También debe notarse que el cumplimiento de las profecías es una cuestión básicamente de interpretación: los cristianos dicen que Él las cumplió, mientras los judíos dicen lo contrario. Revisando esas predicciones, encontré la mayoría, si no todas ellas, muy obtusas. Parece que la cristiandad ha hecho sus propias interpretaciones sobre lo que es una profecía, y de manera manifiesta ha malinterpretado varias de ellas relacionándolas con el Mesías].

Y los sacó fuera hasta Betania, y alzando sus manos los bendijo. Y aconteció que bendiciéndolos se separó de ellos y fue llevado arriba al cielo. [Nótese que aquí dice "se separó de ellos", si éste fuera el caso, ¿cómo podrían ellos saber que Él se fue al cielo? Si Jesucristo sobrevivió, hubiera usado su sentido común y simplemente, hubiera escapado de la tierra donde podía ser reconocido y perseguido con falsos cargos en su contra].

Uno de los eventos más importantes en las Sagradas Escrituras, que parece confirmar la supervivencia de Jesús a la crucifixión es la confrontación con Tomás relatada en Juan 20:24–29:

Pero Tomás, uno de los doce llamado el Mellizo, no estaba con ellos cuando Jesús vino. Le dijeron, pues, los otros discípulos: "Al Señor hemos visto". Él les dijo: "Si no viere en sus manos la señal de los clavos, y metiere mis dedos en el lugar de los clavos y mi mano en su costado, no creeré". Ocho días después, estaban otra vez sus discípulos dentro, y con ellos Tomás. Llegó Jesús estando las puertas cerradas, se puso en medio y les dijo: *La paz esté con vosotros.* Luego dijo a Tomás: *Pon aquí tu dedo y mira mis manos; y acerca tu mano y métela en mi costado; y no seas incrédulo sino creyente.* Entonces, Tomás respondió y le dijo: "¡Señor mío, y Dios mío!" Jesús le dijo: *Porque me has visto, Tomás, creíste; bienaventurados los que no vieron y creyeron.*

Está claro que Jesús está vivo en esa escena. Contradiciendo el postulado cristiano de que "Cristo murió y resucitó al tercer día", podemos ver que transcurrieron por lo menos *ocho* días antes de ser visto por Tomás. Los académicos cristianos responderán diciendo que Jesús resucitó, regresando posteriormente para visitar a los apóstoles, ungiéndolos con el Espíritu Santo, y enviándolos a predicar. Sí, probablemente Él hizo todo esto, pero perfectamente pudo haber estado vivo.

Considerando que en la Biblia, únicamente los evangelios de Marcos y Lucas dicen que Jesús subió a los cielos y ambos apóstoles lo hacen de una forma muy vaga, nunca confirman haber sido testigos de su ascensión y sólo están asumiendo el hecho. También tengan en cuenta que el Evangelio de Juan termina con estas palabras: "Y hay también otras muchas cosas que hizo Jesús, las cuales, si se escribieran una por una, pienso que ni aún en el mundo cabrían los libros que se habrían de escribir" (Juan 21:25). ¿Podría esto relacionarse con los trabajos desarrollados después de su supuesta muerte?

Si efectivamente Cristo sobrevivió a la crucifixión (y yo pienso que así fue), es apenas natural que quisiera mantenerlo en secreto. Entonces, fuera de sus discípulos, María Magdalena y unos pocos más, Él no le dijo a nadie lo que había sucedido. Se escondió de los judíos y los romanos, viajando disfrazado para evitar ser reconocido, y abandonó Israel para dirigirse a otras partes del mundo donde no fuera tan conocido. Varias leyendas y mitos describen sus visitas a América, India, Turquía, Francia e Inglaterra... Él bien pudo haber hecho todo eso y al mismo tiempo continuar su trabajo para Dios.

En su libro *Las Cartas Privadas de Jesús,* Michael Baigent afirma haber encontrado a un acaudalado hombre de negocios italiano quien decía poseer dos cartas escritas por Jesús al Sanedrín, comprobando que estaba vivo en el año 34 d.C. y también en el año 45 d.C. El señor Baigent dijo haber prometido al dueño de los documentos no revelar su nombre para mantenerlo en completo anonimato (lo que por supuesto, origina sospechas en todo el mundo), pero el señor Baigent vio las cartas él mismo. Estaban escritas en arameo, la lengua de Jesús, y él estuvo convencido de que realmente fueron escritas por Jesucristo.

Lo que hace esto muy interesante para mí es que hace 30 años, Francine le dijo a nuestro grupo de investigación que Jesús había escrito muy poco después de la crucifixión, y sólo para decirle a los rabinos judíos que él todavía estaba vivo. Que esto haya aparecido, sólo como una suposición en el libro *Las Cartas Privadas de Jesús* es abrumador, así como también una validación de la información ofrecida por Francine. Seguramente, todo puede ser una coincidencia, pero ciertamente una muy sólida y creíble.

Según Francine, Jesús vivió en Francia hasta una edad aproximada de 90 años. Por lo tanto, en el año 45 d.C él debía tener alrededor de 78 años, asumiendo que tenía 33 al momento de la crucifixión, como lo reseñan las Escrituras. Entonces, si usted hace las cuentas, todo cuadra.

El factor Magdalena

Varios jesuitas con quienes he tenido oportunidad de hablar a través de los años, creen en la supervivencia de

Cristo, pero están obligados a mantener silencio. Como lo he expresado varias veces yo quise mucho al Papa Juan XXIII, especialmente cuando declaró que la resurrección de Cristo de los muertos, no debía ser la piedra angular en la que se basa la cristiandad. ¿Por qué habría de decir esas cosas si no fuera porque tenía conocimiento sobre lo que he compartido con ustedes en este capítulo?

No obstante, el sólo mencionar que Jesús tuvo una familia es un grave sacrilegio para la mayoría de los cristianos. A pesar de esto, y a medida que empiezan a publicarse pruebas sobre su supervivencia a la crucifixión, también aparecen evidencias de su matrimonio con María Magdalena y los hijos que tuvieron juntos. De nuevo, esta premisa es una supuesta amenaza a los mismos cimientos de la cristiandad, pero si algo ha sido construido sobre la base de mentiras y encubrimientos, bien merece ser destruido.

Es interesante ver la forma como la Iglesia Católica inicialmente describió a María Magdalena. Aunque es probable que en un principio la Iglesia supiera la verdad sobre ella, decidieron proyectar su imagen como una prostituta para favorecer el encubrimiento del matrimonio con Jesús. Como la mayoría de nosotros sabemos, aunque su estatus como prostituta fue cambiado y reconocido como un error por el Concilio Vaticano Segundo en 1969, el estigma permanece.

La Iglesia siempre ha dicho que el Papa es infalible, pero aquí tenemos a un Papa (y la Iglesia misma) asumiendo una posición para cambiarla posteriormente. Mi problema con esto no es que hayan admitido y corregido el error, esto es encomiable. El problema es que se haya cometido el error. ¿Cómo puede decir la Iglesia que sus interpretaciones de las Sagradas Escrituras son correctas y luego admitir que cometieron un error? Si se equivocaron en este caso, ¿qué pasará con otros casos?

Al margen de lo anterior, siempre he tenido problemas con la forma como las religiones interpretan los escritos sagrados, porque tienen la tendencia a hacerlo en su propio beneficio. Como soy una rebelde, durante mucho tiempo he sido escéptica con respecto a tomar la Biblia, como un libro basado en hechos, sobre los cuales los académicos cristianos sacan sus conclusiones. He encontrado tantas inconsistencias y contradicciones en sus páginas que es absurdo.

Desde un punto de vista lógico (y usando simplemente el tradicional sentido común), partir de la premisa de "si está en la Biblia, debe ser cierto", está al borde de lo ridículo. Por ejemplo, si se analiza la historia sobre la forma cómo se adaptó el Nuevo Testamento, es casi una broma asumir que refleja hechos reales, porque ha sido editado, se le han agregado y borrado cosas y ha sufrido incontables arreglos adicionales, sin mencionar el hecho de que varios de sus libros fueron calificados como heréticos por la Iglesia. En la actualidad, presuntos expertos admiten que ellos todavía no saben quién escribió los cuatro Evangelios, ¡sin embargo, se supone que aceptemos su contenido como un hecho! (Me pregunto si alguna vez alguien habrá pensado que quizá Dan Brown pudo escribirlos en una previa encarnación...)

Gracias a Dios, más y más académicos están tomando en consideración otros escritos, tales como los libros apócrifos, los Pergaminos del Mar Muerto e incluso trabajos provenientes de otras culturas y religiones.

Nuevos descubrimientos arqueológicos se agregan a lo anterior y aunque tratar de armar las piezas de nuestra historia, puede parecer un trabajo de resultados inciertos, al menos mediante la objetividad científica se está incluyendo información de tantas fuentes como sea posible.

Volviendo a la teoría de que Jesús se casó y tuvo hijos, varios cristianos insisten en que no hay mención sobre esto en la Biblia. Aquí vamos de nuevo, si no está en la Biblia, no puede ser verdad. Siguiendo esa línea de pensamiento, yo también podría decir: "Tampoco hay escritos que digan que *no* fue esposo y padre". De hecho, definitivamente, hay más evidencia circunstancial indicando la realidad de su matrimonio con María Magdalena. Por ejemplo, de acuerdo con las costumbres de la época, un rabino no era reconocido a menos que fuera casado, y los libros apócrifos mencionan que Él frecuentemente besaba a María en la boca... ¿son estas las acciones de un rabino célibe que casualmente también es el Mesías?

María Magdalena estuvo con Jesús en la crucifixión, formó parte del grupo que trasladó el cuerpo, y fue ella quien llevó hierbas y ungüentos a su tumba la mañana después del Sabbath para ungirlo, aún sabiendo que no tenía ninguna posibilidad de mover la piedra que sellaba la entrada. Fue la primera en encontrar la piedra removida y la tumba vacía, y también la primera en verlo después de su supuesta muerte. Algunos entienden esas acciones como propias de una viuda afligida. Yo no lo veo así, porque ella realmente no había perdido a su esposo.

Yo sostengo que María fue a la tumba para ayudar a curar a Jesús con sus ungüentos y, aunque sabía que iba a encontrar la tumba abierta, se sorprendió completamente al encontrarla vacía. Pensando que Cristo estaría adentro, su reacción inicial fue simple: *¿Dónde está? ¿Adónde se ha ido? ¿Quién se lo llevó?* Sabía que Él estaba vivo, pero presentía que algo terrible le había pasado. Es por esa razón que ella no corrió a decirles a Pedro y a Juan que la tumba estaba abierta, sino para decirles que Jesús había desaparecido. Estas acciones son completamente consistentes con las de una esposa preocupada.

Francine afirma que la Boda de Caná, en la cual Jesús convirtió el agua en vino, fue realmente la boda de Él con María Magdalena. Si lee nuevamente ese pasaje de la Biblia y toma en consideración que proveer el vino era responsabilidad del novio, entonces éste se torna muy interesante: "Cuando el maestresala (¿el padrino?) probó el agua hecha vino, sin saber de dónde provenía, aunque lo sabían los sirvientes que habían sacado el agua, llamó al esposo y le dijo: 'Todo hombre sirve primero el buen vino, y cuando ya han bebido mucho, entonces el inferior; mas tú has reservado el buen vino hasta ahora'" (Juan 2:1–10). Al novio se le reclama que haya guardado su mejor vino para lo último ¿y quién hizo el vino? ¡Jesús lo hizo!

De acuerdo con el Evangelio de María Magdalena (que fue eliminado de la Biblia por la Iglesia Católica, junto con los de Felipe y Tomás), ella era poseedora de enseñanzas de Cristo que Él nunca compartió con los otros apóstoles. De nuevo esto es consistente con el hecho de estar casados, lo cual implicaba más intimidad, tiempo solos y consecuentemente, posibilidad de recibir estas lecciones. Los libros apócrifos también relatan que ella era considerada la discípula favorita, confirmando una vez más la estrecha relación y estima de las cuales gozaba.

Construyendo una vida en Francia

Después de que Jesús se recuperó de sus heridas y de la dura experiencia de haber sido crucificado, le dijo a sus discípulos que estaba vivo y pensaba huir del área. Es apenas natural asumir que Él también los hubiera informado sobre el complot con Pilato y José de Arimatea, y enfatizado la necesidad de mantener su supervivencia en secreto. Posteriormente, los aleccionó para que dijeran que Él había ascendido a los cielos y los instruyó para que salieran a predicar en pareja a otras tierras.

Fue entonces cuando Cristo abandonó Israel junto con su madre, María Magdalena, José de Arimatea y varios discípulos (aunque ninguno de los 12 originales), y viajó camuflado hasta la costa de Tiro. Allí abordaron un barco y fueron a Éfeso (actual Turquía), donde estuvieron por un corto tiempo.

Francine dice que en Éfeso, Jesús rentó una casa para su madre, dejando varios discípulos para que la cuidaran. Además, sabiendo que José de Arimatea tenía intereses en negocios mineros y conexiones en Inglaterra, le pidió que fuera en su barco a ese país, para establecer una base para su nueva religión. Luego le dijo que se encontraran en Éfeso en tres años más, mientras tanto, Él y María Magdalena se irían al Lejano Oriente.

Entonces, con José dirigiéndose a las Islas Británicas y su madre segura en Éfeso, Jesús y su esposa salieron para la India en compañía de varios discípulos. Para mayor protección, viajaron en caravanas y llegaron varios meses después. Jesús y María Magdalena estuvieron varios meses en India y Kashmir, región conocida actualmente como Pakistán; y de acuerdo con Francine, eran bienvenidos dondequiera que fueran. Durante su viaje, hablaron con muchos que se convirtieron en sus seguidores y estas personas esencialmente constituyeron los primeros cristianos gnósticos. Roma tenía muy poca influencia en el Lejano Oriente, consecuentemente, no había mayor temor sobre la posibilidad de que Cristo fuera detenido, pero Él tenía necesidad de saber sobre su madre y encontrarse con José de Arimatea.

Los tres años alejado de Jesús fueron muy productivos para José. Francine dice que no sólo pudo mantener sus intereses mineros, sino también convertir a mucha gente y empezar la construcción de una iglesia en Glastonbury, Inglaterra (la cual se dice es la Iglesia Cristiana más antigua del mundo). Adicionalmente, José tuvo la oportunidad de explorar Francia, de tal manera que cuando se encontraron de nuevo con Jesús en Éfeso, le sugirió ese país como un buen lugar para que la pareja estableciera allí su hogar.

De esa manera, María Magdalena y Jesús, junto con su madre y los otros discípulos, navegaron hacia Francia. Desembarcaron cerca de Marsella y viajando un poco tierra adentro, eventualmente llegaron a establecerse cerca del área de Rennes-le-Chateau en la región de Languedoc. Según Francine, para el momento de su llegada María Magdalena había dado a luz a su primera hija, una niña llamada Sarah. También afirma que estuvieron varios años en el sur de Francia y tuvieron siete hijos, de los cuales sólo cuatro sobrevivieron.

Francine continúa relatando que los pobladores del área se convirtieron en sus protectores y mantuvieron con mucho cuidado los secretos de la Sagrada Familia (incluyendo que Jesús era de la realeza judía, descendiente de David, y María Magdalena provenía de una acaudalada familia, también vinculada con la realeza). Jesús, María y sus hijos no sufrieron amenaza alguna, y estuvieron resguardados de manera segura por sus vecinos cuando algún peligro aparecía en el horizonte.

Con el paso del tiempo, María Magdalena llegó a ser una activa predicadora e instructora. Mientras tanto, Jesús daba ocasionales sermones y hacía algunas sanaciones, y se limitó principalmente a enseñar a los niños, y a escribir. (Probablemente, esto fue hecho para evitar notoriedad y fama y, sobre todo, mantener su ubicación en secreto). Jesús junto con José hizo uno o dos viajes a Inglaterra, pero estos fueron muy discretos. María, por otro lado, viajó ampliamente por todo el sur de Francia, donde llegó a ser muy reverenciada.

Mi guía espiritual afirma que Jesús vivió un poco más allá de los 80 años y María Magdalena murió unos 20 años más tarde, a la edad aproximada de 90 años. Como la madre de Cristo murió unos diez años después de haberse establecido en Francia, los tres están sepultados en ese país. La presencia de la Sagrada Familia tuvo el impacto de convertir el sur de Francia en un baluarte gnóstico a través de los años. Tanto los Caballeros Templarios como los cátaros tuvieron gran influencia en el área, mientras la Iglesia Católica enfrentó dificultad durante siglos para establecer allí una fuerte presencia.

Secretos que conducen a las mentiras

Quizá se deba a que, tanto mis ministros como yo, conocíamos esta información hace mucho tiempo, pero ciertamente, lo revelado en este capítulo no nos sorprende. Lo que no puedo entender es por qué estas cosas podrían trastornar la divinidad de Cristo. Después de todo, Buda y Mahoma no fueron sacrificados, y tampoco otros mensajeros de Dios enviados a la humanidad, y eso no afectó *su* divinidad.

Como soy una cristiana gnóstica, siento que Jesús fue el más grande de "los reporteros directos" de Dios, pero eso no significa que no rinda tributo a Mahoma, Buda, el Dalai Lama o incluso el Bab de la fe Baha'i. Si usted observa cuidadosamente, verá que todos ellos tienen el mismo mensaje básico de amar a Dios, hacer el bien, vivir con sencillez y recordar que este mundo es un plano donde estamos aprendiendo a rendir homenaje a nuestro Creador. Incluso, los psíquicos y profetas de la era moderna (al menos los buenos), profesan la creencia de que sus habilidades provienen de Dios. Mientras no dejen que sus egos y la ambición se interpongan en el camino, mantendrán sus canales puros. (De ninguna manera estoy intentando poner a alguno de nosotros, especialmente a mí, al mismo nivel de los reporteros directos de Dios).

Sé que muchos cristianos creen en el concepto de la muerte de Jesús para expiar nuestros pecados (la Expiación), pero fue Pablo quien trajo esa idea a colación, no el hombre de Nazaret. Otros insisten en que la supervivencia de Cristo afecta el concepto total de la resurrección, pero ¡casi todos resucitaremos en el Más Allá después de la muerte! Imagino que para los cristianos, tener un hijo de Dios quien supuestamente murió y regresó a la vida (como ninguna otra persona conocida lo ha hecho, excepto cuando Jesús mismo resucitó a Lázaro de la muerte), los coloca en la posición de creer en un Mesías muy por encima de cualquiera de los otros mensajeros.

Lo que estas personas parecen olvidar son las maravillosas obras de Cristo, las enseñanzas y las curaciones, prueba suficiente de su quehacer milagroso y poderoso liderazgo en su propio tiempo. Su verdadero éxito fue revelarnos la verdad sobre un Dios infinitamente sabio y amoroso, muy diferente al Creador violento y vengativo del Antiguo Testamento; y esto tiene muy poco que ver con su crucifixión o resurrección. Lo irónico es que muchos cristianos han elegido enfatizar la muerte de Cristo y su resurrección, desconociendo de esa manera todo lo que hizo mientras estuvo vivo.

Si Jesús no murió en la cruz, ¿ lo despoja esto de su divinidad? ¡Claro que no! Él fue definitivamente un mensajero divino y sus enseñanzas todavía están vigentes... Debemos recordar que Él mismo pensaba que tales enseñanzas constituían la misión más importante encomendada por Dios.

No me cabe la menor duda que los cristianos fundamentalistas me condenarán al ostracismo por decir la verdad respecto a la vida de Cristo después de su crucifixión, aunque simplemente no puedo entender cómo es que su matrimonio, sus hijos y una larga vida le quitan su calidad de Mesías. Evidentemente, en las primeras épocas la Iglesia Católica pensó de esa manera y en consecuencia crearon el masivo encubrimiento perpetuado hasta nuestros días.

La Iglesia se ha encargado de arrinconarse ella misma con todo este encubrimiento; pero inevitablemente, vendrán ramificaciones que harán temblar al mundo cristiano si la información se convierte en conocimiento generalizado (lo cual predigo que pasará algún día). En realidad, ya son muchos los nuevos descubrimientos que han salido a la luz pública y que continuarán saliendo, independientemente de los intentos de la religión por esconderlos. Los hechos están expuestos para quienes deseen investigarlos, pero la preocupante inclinación de la humanidad hacia la apatía, combinada con una increíble actitud religiosa de rechazar la verdad aún cuando esta sea indiscutible (tal como ocurre con varias religiones protestantes), la mantendrá en la época del Oscurantismo.

Desdichadamente, muchos cristianos continuarán regodeándose en el mundo de la ignorancia y prejuicio que ellos mismos construyeron, siguiendo ciegamente a los llamados líderes que continuamente predican peligrosos conceptos de culpa y temor. Estos fanáticos convierten en sus presas a quienes verdaderamente creen en los dogmas de un Dios temible y vengativo, mientras llenan sus arcas con ganancias mal habidas.

Las iglesias continúan enfatizando en la necesidad de temer a Dios y arrepentirnos de nuestros pecados. ¡Despierten! Dios es misericordioso, clemente y amoroso. Él conoce el plano de la existencia en el cual estamos y todas sus tentaciones, por lo tanto, entiende que todos seremos transgresores en diferentes grados. Si Jesús perdonó a todos los que eran puros de corazón, ¿no hará nuestro Creador lo mismo? Cristo es el Mesías para los que creemos en un Dios infinitamente amoroso; y para los que piensan que Dios debe ser temido, busquen su salvador en algún otro sitio, porque ése no es Jesucristo.

Si desea leer más sobre lo que he tratado en este capítulo, le sugiero empezar con *El Enigma Sagrado*, primer trabajo comercial masivo en el cual se dice que

Cristo no fue ejecutado por los romanos. Aunque la investigación en que se basa este libro ha probado ser dudosa, su premisa principal continúa siendo cierta; y admiro el atrevimiento de los autores, porque lograron que otros empezaran a avanzar en la investigación de los enigmas descritos por ellos.

Luego vinieron libros como *El lado oscuro de la historia cristiana* de Helen Ellerbe; *María Magdalena y el Santo Grial/The Woman with the Alabaster Jar* de Margaret Starbird; *Los evangelios gnósticos* y *Más allá de la fe (el Evangelio secreto de Tomás)* de Elaine Pagels; *Jesús no dijo eso: los errores y falsificaciones de la Biblia* de Bart D. Ehrman y, por supuesto, *El Código de Da Vinci* de Dan Brown. Recomiendo ampliamente todos estos trabajos y le recuerdo la importancia de pensar por usted mismo en éste y cualquier tema.

CAPÍTULO QUINCE

SUPRESIÓN
DE LOS
GNÓSTICOS

*A*ntes de entrar con detenimiento en este capítulo, me gustaría ofrecer algunos antecedentes sobre el gnosticismo. Muchos historiadores dicen que la fe se desprendió del zoroastrismo, fundado por el antiguo profeta iraní Zoroastro, de quien los académicos creen que vivió entre los años 1000 y 1400 a.C. El zoroastrismo es quizá la primera religión en hablar de los ángeles; y un resumen de sus doctrinas podría ser: "Buenos pensamientos, buenas palabras y buenas acciones." Como fue una de las primeras creencias organizadas de la humanidad, tuvo una gran influencia en muchas de las que vinieron después, tales como el budismo, el islamismo, el maniqueísmo y el mandeísmo.

El mandeísmo es interesante porque sus fieles (todavía hay alrededor de 50.000 a 75.000 practicantes) no creen en Buda, Jesús ni Mahoma, pero *sienten* gran reverencia por Juan el Bautista. De hecho, todas estas religiones gnósticas iniciales, afirman tener conexión con varias figuras bíblicas, aunque tienden a diferir grandemente sobre las que reconocen.

Los antiguos gnósticos también creían que hubo dos fuerzas en la creación: una buena y una mala (o lo que en tiempos modernos conocemos como "el demonio"). El Dios bueno era básicamente inalcanzable, pero el malo creó el plano terrenal con todas sus maldades y tentaciones. Esto es conocido como "dualidad", término que encontrará frecuentemente en cualquier investigación que haga sobre el gnosticismo. (También significa luz y oscuridad, y bueno y malo). De hecho, todas las primeras religiones gnósticas como el zoroastrismo, mandeísmo y maniqueísmo, creyeron en el concepto de la dualidad.

Los gnósticos modernos difieren grandemente de las antiguas sectas, especialmente cuando se alinean con el cristianismo, como es el caso de mi iglesia, la Sociedad del Nuevo Espíritu. Por ejemplo, aunque reconocemos que Jesucristo fue una creación divina y especial de Dios, así como Su mensajero, también creemos que *todos* somos hijos e hijas de Dios, esto es, Jesús no fue el único.

Una parte extremadamente importante del gnosticismo histórico fue la creencia en la divinidad femenina, o "Madre Dios". Esto no significa que ellos adoraran a la madre de Cristo, sino a la feminidad co-creadora del Universo con el "Padre Dios".

Naturalmente toda esta filosofía era considerada una herejía por la Iglesia Católica y por esa razón se mantuvo oculta. Pero si nosotros, como dice la Biblia, fuimos hechos a imagen y semejanza de Dios, entonces podemos asumir que hay una dualidad en nuestro Creador, justamente como la hay en toda la humanidad y en la naturaleza. En tiempos antiguos, la mayor parte de la sociedad consideraba al hombre superior a la mujer por su fortaleza física. Esto, desde luego, no es el caso ahora; sin embargo, sigue siendo conveniente tener una sociedad religiosa patriarcal.

A pesar de eso, como he escrito en otros libros (particularmente en *Mother God*), la vasta mayoría de los seres humanos creyeron en la Madre Dios o Diosa antes de los tiempos de la cristiandad, incluyendo individuos que vivían en algunos de los imperios poderosos como los romanos, babilonios, egipcios, fenicios, persas, turcos y griegos. Como las naciones conquistadas invariablemente aceptaban la religión de sus conquistadores, la Madre Divina empezó a ser adorada prácticamente por todo el mundo en los tiempos antiguos. No fue hasta cuando el cristianismo se extendió ampliamente, durante los tiempos del emperador romano Constantino, que la supresión del principio femenino tomó fuerza, lo cual sucedió más debido a las facciones cristianas que al Emperador.

Puesto que Constantino era romano, ya rendía culto a la Madre Divina, pero el imperio estaba en decadencia y los cristianos le estaban creando muchos problemas. Por lo tanto, Constantino negoció con los líderes cristianos y de ahí surgió el Edicto de Milán, otorgando la libertad religiosa. Se convirtió al cristianismo y fue cabeza de la iglesia al mismo tiempo que Emperador. También, como los romanos dedicaban un día a adorar a Apolo, su dios sol, Constantino designó el domingo como un día de descanso. (Aún más interesante es el reconocimiento a Constantino como santo por parte de la Iglesia Ortodoxa Oriental, pero no por la Iglesia Católica Romana).

El surgimiento de la cristiandad de San Pablo

Cuando Constantino promulgó el Edicto de Milán, probablemente haya pensado que los conflictos dentro de la cristiandad cesarían, pero no fue así. Después de varios años de constantes disputas entre las diferentes sectas iniciales sobre interpretaciones del dogma, evidentemente se exasperó y convocó el Concilio de Nicea en el año 325 d.C. con el objetivo de terminar el conflicto de una vez por todas (no lo logró, pero fue un valiente esfuerzo). En el Concilio, el Emperador determinó la ley y forzó a varios de los jerarcas de la primera Iglesia Cristiana a aceptar cierta uniformidad y establecer una mejor infraestructura con el propósito de estabilizarlos.

La batalla entre estas facciones durante el reinado de Constantino resultó finalmente en un enfrentamiento entre los seguidores de Pablo y los judíos cristianos. Como su nombre lo sugiere, los seguidores de Pablo fueron liderados por el auto-proclamado apóstol Pablo, disputándose los fieles con los judíos cristianos seguidores de Juan el Bautista. (Los seguidores de Pablo también eran llamados "cristianos gentiles" porque con frecuencia no tenían ancestros judíos). Estas dos facciones estuvieron en conflicto entre ellas no sólo por el tema doctrinario, sino especialmente sobre la forma como Pablo estaba interpretando la vida de Jesús y la clase de persona que fue.

Los judíos cristianos, básicamente abarcaban a los que tenían ancestros judíos, incluyendo también a los familiares de Cristo (que supuestamente pertenecieron a la secta ebionita). Ellos no adoptaron las ideas de la divinidad del Mesías o su "nacimiento de una virgen"; en otras palabras, aunque pensaban que Jesús fue un gran mensajero y seguían sus enseñanzas, no creían que él fuera Dios encarnado. ¿No es muy interesante que miembros de la propia familia de Cristo hayan cuestionado su divinidad?

Los seguidores de Pablo ganaron a su favor a Constantino, razón por la cual la mayoría de la cristiandad es apostólica por naturaleza (siguiendo las enseñanzas de los apóstoles). De hecho, las partes de la Biblia que casi siempre son usadas en las clases de teología cristiana no son del Antiguo Testamento, y muy raras veces de los cuatro Evangelios, sino de las epístolas de Pablo.

De nuevo, debemos darnos cuenta que Pablo nunca conoció a Jesús. Sin embargo, él *era* uno de los pocos que en esa época podía escribir, entonces fabricó su propia publicidad pretendiendo conocer todo sobre el gran maestro. Si usted ha visto la película de Martin Scorsese *La última tentación de Cristo* (prohibida por la Iglesia Católica y muy controversial debido a numerosas razones, incluyendo una escena en que Jesús está teniendo sexo con María Magdalena), seguramente recordará la parte donde Pablo se dirige a Cristo en la cruz, y comenta que él puede descifrar cualquier cosa relacionada con Jesús. Aunque estamos hablando de Hollywood, hay mucha verdad en esa frase y esa es la razón por la cual digo que hay más cristianos "seguidores de Pablo" que "puros".

Aún podemos ir más lejos y defender la idea de que Pablo ha influenciado más en la cristiandad que el mismo Jesús. Como mencioné en el último capítulo, a la mayoría de los cristianos se les ha lavado el cerebro para que piensen que la crucifixión y la resurrección son los hechos más importantes, lo cual es enfatizado continuamente por Pablo.

En este punto Pablo tiene diferencias con Jesús, porque la única intención de Cristo fue traer la "nueva ley" de un Dios que ama a la gente. Muchos olvidan que

Jesús era judío y permaneció como tal a través de su vida, siendo fiel a su religión nativa pero ofreciendo nuevas y grandes interpretaciones de las Sagradas Escrituras que finalmente se convirtieron en las enseñanzas de la cristiandad. (¿Alguien se ha dado cuenta que Jesús no era cristiano, después de todo, qué hizo, seguirse a sí mismo?) Él compartió las creencias de sus familiares, que eran principalmente judíos cristianos. Ahora, como los seguidores de Pablo se oponen a estos individuos, resulta que la cristiandad de hoy está en directa oposición a las enseñanzas de Jesús. Irónico, ¿no cree?

El control de la Iglesia se hace más fuerte

A medida que los seguidores de Pablo ganaron poder e influencia, empezaron a incrementar su persecución a otras sectas. Como los judíos cristianos eran básicamente seculares y sólo estaban interesados en permanecer en Israel, no eran una amenaza real y más o menos desaparecieron. Sin embargo, ellos compartían con los gnósticos el secreto de la supervivencia de Cristo a la crucifixión.

Este grupo trató en vano de demandar cambios en la Iglesia de San Pablo (Católica) y también intentó combatir la creciente corrupción dentro de la misma, pero simplemente fue derrotado. Se volvió cada vez más evidente que la Iglesia estaba ganando poder, riqueza e influencia, debido en gran parte a la corrupción, lo que únicamente sirvió para que terminara siendo usado en contra de los gnósticos. Por lo tanto, ellos hicieron lo que tenían que hacer para bajar su perfil: mantener sus secretos muy bien guardados y lejos del mundo exterior.

Fue durante esta época que la Iglesia empezó a tratar de manera fuerte e intimidante a sus seguidores, diciéndoles cómo rendir culto y manejar su vida, respaldando todo esto con diversas formas de manipulación y temor. Los líderes católicos controlaron países enteros bajo la apariencia de religión, empleando tácticas amedrentadoras, incluyendo la amenaza de excomunión y el infierno para los que se negaran a cooperar.

Estos años convirtieron a la Iglesia Católica en una potencia mundial, aunque su historia fue mancillada con sangre y corrupción. Los asesinatos y magnicidios se volvieron frecuentes en la medida en que los jerarcas competían para ganar poder y la permisividad se convirtió en algo común. Con frecuencia hubo más de un Papa, debido a los diferentes bandos que trataban de gobernar al mismo tiempo. Los "antipapas", o aquellos individuos a los cuales la autenticidad de su pretensión al papado les fue cuestionada, fueron frecuentes desde los siglos III al XII, y de nuevo entre los siglos XIV y XV. Solamente este hecho subraya lo corrupta y política que la Iglesia fue durante esos tiempos; casi 40 veces en su historia, ¡estuvieron en el dilema de no poder decidir cuál Papa era el legítimo!

La sociedad en los tiempos medievales estaba compuesta sólo por la élite y las masas empobrecidas, no existía la clase media. Mientras las clases altas estaban integradas por miembros de la iglesia, nobles y aristócratas, la mayoría de la gente estaba condenada a la servidumbre, principalmente granjeros y comerciantes que trabajaban para los pocos en el poder. Bueno, también había algunos mercaderes, pero como las comunicaciones y los viajes eran tan limitados, estos individuos estaban confinados a áreas locales tanto desde el punto de vista de mercancía como de sus consumidores, y raramente podían producir mucho dinero.

Con excepción de los líderes católicos, la mayoría de la gente carecía de educación. Aún los aristócratas de la época eran iletrados, lo que le permitió a la Iglesia ganar aún más poder porque empezó a ser considerada como una institución culta. Las tierras eran propiedad de la Iglesia o controladas por esta o los nobles, y los correspondientes impuestos que se imponían a las masas les permitían mantener su riqueza.

Durante este período, los gnósticos fueron muy sigilosos y se contentaron con practicar su culto, lejos de la mirada de la cada vez más grande y poderosa Iglesia. Sin embargo, la represión sobre las masas eventualmente llevó al gnosticismo a recobrar alguna influencia. La vida era tan dura y la religión tan estricta que el público en general empezó a mirar hacia otras partes para buscar apoyo espiritual, el cual, muchas personas encontraron en las sectas gnósticas.

En esa época, los nobles combatían entre ellos continuamente, armando sus ejércitos con caballeros montados en corceles, mientras los pobres eran soldados rasos y carne de cañón. La Iglesia también estuvo embrollada en todo esto, haciendo alianzas con los nobles más poderosos y prestándoles dinero para financiar sus batallas a cambio de tierras, autonomía y poder.

Como consecuencia de lo anterior, muchos reyes se convirtieron en simples lacayos de la Iglesia, que los obligaba a proceder de acuerdo a sus deseos. Otros miembros de la élite que se sintieron desencantados con el poder del catolicismo empezaron a dar refugio a las sectas gnósticas, especialmente en el sur de Francia. Protegidos por los nobles locales, estos gnósticos empezaron a ganar influencia y a buscar la aprobación del pueblo. Quizá el grupo más influyente en esa época fue el de los cátaros, una secta gnóstica cristiana realmente piadosa y dedicada a ayudar a los pobres. Se volvieron tan populares en el sur de Francia que llegaron a amenazar por un tiempo el dominio que la Iglesia Católica tenía en el área.

Los cátaros

Los cátaros, un grupo verdaderamente enigmático, parece haberse entrelazado una y otra vez en el camino de los Caballeros Templarios y otros grupos. Es muy difícil investigar sobre ellos porque la mayoría de lo que conocemos fue escrito por sus enemigos. No creo que esto se deba a negligencia de los historiadores, sino a la estructura de los cátaros. Estoy de acuerdo con mi guía espiritual Francine, cuando dice que este grupo realizó un gran esfuerzo para permanecer piadoso y reservado.

De acuerdo con los historiadores, el grupo tomó su nombre cerca de la mitad del siglo XII de la palabra *cathar* que se piensa es original del término griego para designar a "los puros". Esta secta parece haber tenido sus raíces en druidas, alquimistas, místicos y los primeros gnósticos; de hecho, los académicos creen que fue una evolución de las enseñanzas gnósticas de la Europa Occidental y que posiblemente tuvo lazos con el maniqueísmo. Según el historiador Geoffroy du Breuil of Vigeois, los cátaros también fueron conocidos como "los albigenses", refiriéndose al pueblo de Albi, en el sur de Francia, como el área desde donde vinieron en 1181.

Como expliqué en el último capítulo, el sur de Francia ha sido fuente de mitos sobre Jesús y su familia durante siglos. Si estas historias no fueran ciertas, ¿por qué continúan teniendo tanta fuerza? Es también interesante que varios Caballeros Templarios hayan vivido en esa área. Ciertamente el sur de Francia ha sido el semillero de la actividad gnóstica. (Desde luego que en esa época, el área no era todavía parte de Francia, sino de lo que hoy es España. Usted debe recordar que esos fueron tiempos de reinos, feudos y ducados diseminados por toda Europa, en otras palabras, los límites fronterizos de los países no estaban claramente establecidos como lo están hoy).

Igual que en el caso de los Caballeros Templarios, en la historia de los cátaros existe una leyenda en la que se dice que eran guardianes de un fabuloso tesoro. Algunos afirman que este no era otra cosa que el Santo Grial, mientras otros piensan que eran pergaminos con antiguos conocimientos, y otro grupo más, sostiene que era la espada sacramental guardada en una caja de madera labrada. Cualquiera que fuera la naturaleza del tesoro, supuestamente fue sacado de su Castillo de Montsegur por cuatro monjes cátaros, precisamente el día antes de la toma del fuerte y su posterior destrucción. Los monjes, lograron escabullirse a través de los ejércitos católicos, escaparon a un lugar escondido y nunca más se volvió a saber de ellos.

Francine confirma que efectivamente el tesoro fue sacado de Montsegur justo antes de su caída y que consistía en enseñanzas sagradas, incluyendo información sobre el linaje de Cristo y su vida en Francia después de la crucifixión. No eran joyas ni nada parecido, porque los cátaros no consideraban de valor los bienes terrenales si no eran para la subsistencia o para ayudar a los pobres.

Los pacíficos cátaros consiguieron muchos amigos y seguidores porque la vida en la época medieval era muy dura, y las constantes disputas políticas entre nobles hacían las cosas todavía más difíciles para las clases bajas. Agreguemos a esto una Iglesia Católica queriendo tener control sobre todo lo espiritual y gobernar con puño de hierro, y ahí tenemos un campo listo para plantar y cosechar nuevas ideas.

Cuando los cátaros emigraron hacia el área que hoy es conocida como el sur de Francia, en la región de Languedoc, probablemente no tenían idea de lo exitosos que serían. Encontraron un ambiente favorable y una audiencia receptiva a su nueva forma de hacer las cosas. Trajeron con ellos una especie de libertad y consuelo que los pobres no recordaban haber visto nunca. Finalmente, alguien se estaba preocupando por las necesidades de la gente sin pedir algo a cambio: ni diezmos, ni favores. No había que tomar las armas para luchar en alguna guerra estúpida, ni trabajar de sol a sol para alimentar un ejército que estaba quién sabe dónde.

Los teólogos cátaros o "perfectos", son también conocidos como *bons hommes, bonnes femmes*, o *bons chretiens*, o sea, "buenos hombres", "buenas mujeres" o "buenos cristianos". Sus fieles eran llamados "creyentes" y aparentemente no eran iniciados en la doctrina; en su lugar, si estaban de acuerdo en recibir el llamado "consolamentum" (el Bautismo del Espíritu) antes de la muerte, quedaban libres de toda prohibición moral y obligaciones religiosas.

Los cátaros dejaron muy buena impresión en la gente con sus enseñanzas. No se condenaba a nadie por sus acciones debido a que ellos aceptaban la vida con todos sus defectos y debilidades, consecuentemente no existían las prohibiciones de orden moral y no se promulgaban reglas (como sí lo hacía la Iglesia). Lo interesante es el profundo efecto que esto tuvo sobre las masas: en lugar de desbandarse y estar de fiesta todo el tiempo, se convirtieron en personas más gentiles, más amables y más serviciales con sus amigos y vecinos. Fue casi como una argucia psicológica en la cual ellos podían hacer lo que quisieran sin recibir ningún castigo, por lo tanto ya no era divertido romper las reglas. Mientras a muchos les encantaba desafiar el dogma católico como un acto de rebelión, los cátaros no tenían esas restricciones, y eran tan bondadosos que la gente no encontraba razones para quejarse.

Este grupo gnóstico fue bondadoso, amante de la paz, y atendió las necesidades de los pobres proveyéndoles educación, estableciendo hospicios y en general cuidando de ellos. Los cátaros vivían frugalmente, no tenían reglas estrictas, los servicios religiosos se llevaban a cabo en bosques y campos abiertos y parecían preocuparse genuinamente por la gente. Adicionalmente, las mujeres fueron puestas en el mismo plano de los hombres, y los clérigos daban su consejo espiritual y realizaban los servicios en los hogares, si fuera necesario.

En contraste, los Obispos que representaban la Iglesia Católica eran hipócritas corruptos, cobraban dinero por administrar los sacramentos, parecían distantes, poco afectuosos, y demandaban la estricta observancia de una multitud de reglas inflexibles. Por lo tanto, no es ninguna sorpresa que los cátaros hayan logrado establecer una sólida presencia en Languedoc, tanto que las catedrales católicas empezaron a ser cada vez menos frecuentadas. Entonces, la Iglesia calificó a los cátaros de herejes, sin importar el hecho de que sus seguidores estaban recibiendo muy necesitados consuelo y ayuda.

Las autoridades religiosas reinantes siempre trataron con dureza a quienes eran considerados como herejes, los cuales hasta ahora habían estado compuestos por pequeños grupos que no representaban un problema real. Sin embargo, el caso de los cátaros fue muy diferente. Al convertir católicos, y de esta manera disminuir los ingresos de la Iglesia en el área, estos gnósticos se estaban volviendo una verdadera amenaza... y, como de costumbre, la Iglesia tenía una respuesta. Pero antes de entrar en eso, permítanme explorar en mayor profundidad las creencias de los cátaros, para entender por qué el pueblo se sentía tan atraído hacia ellos.

Creencias cátaras

Los cátaros creían en la existencia de una luz o espíritu dentro de cada persona (comúnmente conocida hoy en día como el alma), la cual estaba atrapada en un mundo de tentación y corrupción. Como eran gnósticos, creían en la dualidad, o sea que este mundo había sido creado por una deidad inferior quien se proclamó a sí misma como el único Creador (muy parecido a Satanás). Posteriormente, los cátaros lanzaron la afirmación de que la cristiandad ortodoxa creía en un falso dios y que la Iglesia Católica era una abominable corrupción, influenciada profundamente por su apego al materialismo terrenal. El espíritu, la esencia vital de la humanidad, estaba entonces atrapado en un dominio físico negativo, creado por un falso dios y gobernado por sus depravados lacayos.

Para liberarse de esta cárcel de la condición humana, los cátaros creyeron que se debía tomar conciencia en primer lugar, de la maldad y corrupción existentes en la realidad de la vida humana (incluyeron también las estructuras eclesiásticas, dogmáticas y sociales de ese tiempo). Una vez que se tome conciencia de la "prisión de la materia" y su corrupción, se podrán empezar a romper sus lazos en una progresión paso a paso, diferente en cada individuo. Una de las vías para liberar el espíritu es convertirse en un ser más amable, más gentil, más espiritual, menos orientado al materialismo y libre de adicciones.

Los cátaros aceptaron el mundo como era y en consecuencia, aprendieron a trascenderlo. Enseñaron que para ir más allá de la vida terrenal, hay que experimentarla. Usted no puede escaparse de este mundo, pero si genuinamente experimenta todo lo que tiene para ofrecernos, tanto en lo positivo como en lo negativo, en ese momento podrá quitarse de encima los grilletes de las adicciones y apegos. En otras palabras, todas las tentaciones de la vida, incluyendo los últimos vestigios de dolor y pérdida a los que nos aferramos, tienen que ser extinguidos antes de que se pueda empezar a trascender. Cuando ya no tenga más ataduras a este mundo, es cuando realmente puede disfrutarlo.

Los cátaros creían en la reencarnación pero nunca la vieron como un proceso necesario o deseable. Más bien, eran conscientes que algunos individuos no podían liberar sus almas de la prisión terrenal en una vida, por lo tanto reconocieron que para algunas personas, eran necesarias más vidas para lograr su libertad.

Este grupo también rechazaba completamente el Antiguo Testamento y adoptaba el Evangelio de Juan como su más importante texto sagrado. En él, Cristo dice: "Un nuevo mandamiento os doy; amarás a tu Dios con todo tu corazón, toda tu alma y toda tu mente, y a tu prójimo como a ti mismo". Con esta simple afirmación, los cátaros rechazaron las reglas, regulaciones, dogmas, indulgencias y penitencias de la Iglesia Católica. Para los gnósticos, amar a Dios y al prójimo, era todo lo que se necesitaba en el viaje espiritual. Ellos comprendieron que simplemente viviendo de esa manera, podían liberarse de la "prisión terrenal".

Los cátaros creían que Jesucristo era una manifestación pura del espíritu, que no estaba encerrado dentro de las limitaciones de la materia y era el mensajero del verdadero Dios de amor, cuya fe aceptaron. Señalaban que el falso dios del Antiguo Testamento exigía obediencia y adoración basadas en el temor por parte de sus "hijos", y si no cumplían con esto, el resultado era con frecuencia tortura y muerte. El dogma de la Trinidad y el sacramento de la eucaristía también eran rechazados por los cátaros, así como el purgatorio; para ellos la vida en la tierra era castigo suficiente.

Los miembros de esta secta llevaban sus creencias más allá de lo religioso, aunque la mayoría de ellos las relacionaban directamente con el aprisionamiento de la condición humana. Por ejemplo, creían que hacer juramentos era erróneo porque esto conducía únicamente a estar más atado al dominio del mundo. Esto ciertamente estaba en contraposición a lo establecido en esa época medieval, puesto que la mayoría de las transacciones de negocios, la fidelidad a los nobles y demás, eran llevadas a cabo con juramentos debido al nivel de analfabetismo.

La abstinencia sexual también fue predicada por los cátaros, aún en el matrimonio, como una manera de liberarse de la "esclavitud de la carne". Esperaban que sus perfectos practicaran completamente el celibato, con frecuencia dejando a sus esposas cuando alcanzaban ese nivel, con el propósito de reducir la tentación de las "relaciones sexuales insensatas", cuya práctica los mantenía prisioneros. La destrucción de la vida en cualquier forma también iba en contra de sus creencias, por lo tanto sus perfectos no debían comer ninguna criatura exceptuando el pescado, ni ninguno de los productos derivados de la producción animal (queso, huevos, leche, mantequilla y similares). Aunque también es interesante saber, que los perfectos no condenaban a sus seguidores por tener relaciones sexuales o comer alimentos provenientes de animales, sólo exigían esos requerimientos para sí mismos y para los que quisieran alcanzar ese estado.

Como dije anteriormente, los seguidores de los cátaros estaban libres de cualquier prohibición moral. Aunque ciertamente los perfectos predicaban sus creencias, lo hacían fundamentalmente mediante el ejemplo de su propia santidad, lo cual los hacía más queridos por el pueblo. Los perfectos llevaban una vida austera respecto a la comida, la ropa y el celibato, y mantenían una cierta elegancia dentro de su simplicidad. Vestían sencillas túnicas y no usaban nada parecido a pieles de animales o ropa de mendigos. Cada persona que conocían, sin importar su condición, era tratada de la misma forma, desde el más pobre de los sirvientes hasta el más rico de los nobles. Comparados con los monjes católicos y los obispos, los perfectos cátaros eran más amables, más atentos, más piadosos, más honestos y mucho más éticos, sin mencionar que además llevaban una vida ejemplar, educando y ayudando a los infortunados. Consecuentemente, la comunidad se agrupaba alrededor de ellos masivamente.

El final más terrible

Con la "buena gente" haciendo todo lo posible para convertir católicos, era inevitable que alguna acción se tomara con relación a ellos. Algunos dicen que comenzó con un movimiento político del rey de Francia para ampliar su reino capturando la región sur, mientras otros afirman que fue la Iglesia, ejerciendo su poder una vez más para suprimir una aparente amenaza. Francine dice que fue un poco de las dos cosas: la Iglesia necesitaba un ejército para pelear esa batalla, el cual fue provisto por el rey de Francia, con la condición de permitirle quedarse con la tierra conquistada. Mucho de esto se había venido fraguando durante largo tiempo, en la medida en que los nobles de la región sur eran muy firmes en su posición de no querer ser absorbidos por Francia. Como la época medieval era muy política y la Iglesia tenía sus tentáculos en casi todas partes, tanto los líderes católicos como el rey de Francia pudieron llegar a un acuerdo.

La creciente influencia de los cátaros llevó, finalmente, a varios eventos históricos significativos:

1. Desencadenó otra cruzada por parte de la Iglesia Católica, esta vez con el objetivo de borrar a los cátaros de la faz de la tierra. Llamada la Cruzada Albigense, la violencia resultante fue extrema, aun para los estándares medievales.

2. La Iglesia obtuvo sus mercenarios mediante el ofrecimiento de entregar las tierras conquistadas al rey de Francia y a los nobles franceses del norte, lo cual al cabo del tiempo prácticamente duplicó el tamaño de ese país.

3. La Iglesia tuvo una función en la creación de la Orden de los Dominicos, que fue fundada con el objetivo de "predicar el evangelio y combatir la herejía".

4. La Iglesia creó e institucionalizó la verdaderamente horrible Inquisición, siendo la española la más infame.

Hablando de la Inquisición, millones de mujeres fueron asesinadas y torturadas, acusadas de ser brujas y "trabajar en alianza con el demonio". Cabe preguntarse ¿por qué nadie se dio cuenta que deshacerse de todas las mujeres causaría sufrimiento a la población? Esto no sorprende porque desde su comienzo la Iglesia Católica siempre ha sido patriarcal por naturaleza: exige el celibato a sus sacerdotes para que no tengan que sostener familias, a las mujeres no les es permitido el sacerdocio y el dogma de la iglesia impone la obediencia al hombre por parte de la mujer.

En el año 1198, el Papa Inocencio III llegó al poder con la determinación de librar a Languedoc de los cátaros. Inicialmente, trató de hacerlo por medios pacíficos, como por ejemplo enviar a sus sacerdotes a la región para tratar de convertir a los miembros del grupo gnóstico, misión en la que tuvieron muy poco éxito. En 1204, suspendió la autoridad de los obispos en el sur de Francia y nombró enviados papales para supervisar la situación. Nuevamente, no pudieron lograr mayor progreso, llevando al Papa a buscar el apoyo de los nobles de la región, excomulgando a quienes se rehusaran a cooperar.

El poderoso Conde Raymond VI de Toulouse se negó a actuar en contra de los cátaros y fue excomulgado en 1207. Después de una acalorada discusión entre el conde y un enviado papal, alrededor de 1208, el enviado murió misteriosamente. Al tener conocimiento de esto, el Papa Inocencio promulgó una bula papal empezando una cruzada en contra de los albigenses (cátaros), ofreciendo la tierra de los herejes a cualquiera que combatiera. Muchos en el norte de Francia aceptaron la oferta, y pronto fue el norte contra el sur.

Entre 1209 y 1215, los combates de la cruzada albigense marcharon muy bien para el Papa y los ejércitos del norte. Posteriormente, se presentaron una serie de rebeliones y reveses entre 1216 y 1225, durante los cuales casi todas las tierras capturadas fueron recuperadas. Luís VIII, rey de Francia, intervino finalmente en 1226. Procedió a ponerse al frente de la situación y eliminó el último baluarte de los cátaros en Montsegur en 1244. Aproximadamente 15 años antes, sin embargo, el Papa Gregorio IX había instituido la primera Inquisición para eliminar a los herejes de la región.

Se estima que la cantidad de cátaros asesinados, aún antes de ser establecida la Inquisición, fue cercana a los 200.000, aunque no está claro si en ese número están incluidos los que defendieron al grupo. Por ejemplo, en julio de 1209, el pueblo de Béziers, Francia, fue rodeado por el ejército del enviado papal Arnaud-Amaury quien demandó que le fueran entregados los cátaros. El pueblo que tenía aproximadamente 20.000 habitantes se negó, aunque solamente había unos 500 cátaros escondidos allí. Cuando uno de los cruzados le preguntó al enviado cómo podrían distinguir a los cátaros de los ciudadanos del pueblo, se dice que Arnaud-Amaury le contestó:

"¡Matadlos a todos! ¡Dios reconocerá a los suyos!". De acuerdo con el escritor Caesar de Heisterbach, testigo ocular, entre 10.000 a 20.000 personas fueron asesinadas ese día, la mayoría de las cuales ni siquiera eran cátaros.

Luego, en 1233, empezó una persecución despiadada, los cátaros eran quemados dondequiera que los encontraran e incluso los muertos eran exhumados con ese propósito. Habiendo tomado votos religiosos que les impedían matar o herir a alguien, los perfectos no podían defenderse, pero a lo largo de la cruzada, miles de personas se levantaron en su defensa, incluyendo varias de diferentes religiones. Después de un sitio de diez meses en el cual 200 perfectos cátaros y 300 soldados mantuvieron a raya a 10.000 cruzados, los soldados de la iglesia encontraron una brecha en las defensas y la "buena gente" ya no pudo ser protegida.

Aunque la última fecha conocida en la que se quemó en la hoguera a un cátaro por parte de la Inquisición fue 1321, en función de sus objetivos y propósitos, los cátaros cayeron junto con su fortaleza en Montsegur siendo virtualmente eliminados. Mientras algunos pocos monjes se las arreglaron para escabullirse con el "tesoro", los perfectos restantes fueron reunidos con sus partidarios y obligados a marchar frente al castillo donde fueron quemados en una gran hoguera. Se dice que mientras se estaban quemando, morían cantando un himno de glorificación al verdadero Dios de amor. De cualquier manera estoy segura que encontraron el "reino que no es de este mundo", como Jesús siempre dijo.

Enfocándonos de nuevo en Jesús

La parte interesante sobre las sociedades secretas religiosas es que casi todas fueron gnósticas por naturaleza. Esto es porque debía ser así, no únicamente por la información que protegían, sino porque estaban totalmente en contra de lo establecido. Los gnósticos habían tratado a lo largo de los siglos de rebelarse y volver a la verdad de un Dios padre *y* madre amorosos, junto con la supervivencia de Cristo y su linaje; pero cada vez que lo hicieron fueron llamados herejes, condenados al ostracismo, perseguidos y asesinados.

Sin embargo, esta información empieza a aparecer con increíble rapidez en la actualidad. Personalmente, tengo no menos de 50 libros que confirman lo que he relatado en estas páginas, mucho de lo cual Francine había revelado hace décadas. No se trata de mi ego hablando aquí; es más para dejarles saber que no todo el mundo puede entrar en trance o escuchar a sus guías, como lo hago yo. Después de leer mis libros (que fueron infundidos por el espíritu), miles de personas me han dejado saber que "lo que usted dijo [o escribió] suena como verdad en mi alma"; o "siempre lo había sentido de esta manera pero no podía expresarlo"; o, "me temo que me hubieran llamado loco si *hubiera* intentado decírselo a alguien". Bien, creo que la verdad universal reside y resuena profundamente en todos los seres humanos. Esto aplica especialmente a Jesús, sus palabras fueron tan simples y verdaderas que empezamos a sentir como si estuvieran grabadas en nuestras almas.

Siempre he creído que Jesús fue gnóstico porque era esenio, una de las muchas sectas cismáticas de la fe judía. La base principal de los esenios fue el Qumran, donde se encontraron los pergaminos del Mar Muerto. Pero en el libro *The Templar Papers*, recopilado y editado por Oddvar Olsen, hay un capítulo escrito por Sandy Hamblett (editor de *The Journal of the Rennes Alchemist*) que expone evidencia arqueológica reciente, demostrando que los esenios vivieron en el Monte Sión de Jerusalén en los tiempos de Cristo. Usted se preguntará cuál es la importancia de esto; bien, el Monte Sión supuestamente fue donde tuvo lugar la Última Cena y también el sitio donde, ¡más de mil años después!, estuvieron los cuarteles generales de los Caballeros Templarios.

Más evidencia llegó como resultado del descubrimiento de la "Puerta Esenia". Como usted sabe hay varias puertas hacia Jerusalén, todas las cuales fueron nombradas de acuerdo a la dirección a la que llevaban, bien fuera a ciertas áreas de la ciudad o a lugares más allá de las puertas. (Por ejemplo, "la Puerta de Damasco" llevaba a la ciudad de Damasco). El descubrimiento arqueológico de la Puerta Esenia provino de los restos de una antigua muralla que alguna vez circundó el Monte Sión, y los esenios fueron conocidos por encerrarse dentro de esa clase de barreras para mantenerse alejados de la población en general. De hecho, se dice que Jesús se movía libremente dentro de la amurallada comunidad de estos gnósticos.

Bargil Pixner, arqueólogo y sacerdote dominico, también encontró restos de baños rituales exactamente iguales a los hallados en el Qumran, y los esenios se destacaron por sus ritos de asepsia y pureza. Cuando Pixner le presentó su evidencia a un notable arqueólogo israelita, éste le dijo: "Esta es una excelente prueba de que los esenios vivieron en este sector de Jerusalén".

También es interesante destacar que en esas primeras épocas, los judíos cristianos eran aceptados hasta el punto de permitirles construir una iglesia en Jerusalén. Ahora ¿dónde cree que esa iglesia fue ubicada? Adivinó, en el Monte Sión. Llamada "la iglesia de los apóstoles", fue erigida en el mismo sitio que había sido arrasado por los romanos durante la primera revuelta judía en los años 67–68 d.C y donde tuvo lugar la Última Cena en una sinagoga esenia.

Basado en su investigación, el famoso arqueólogo Yigael Yadin propuso la teoría de Cristo liderando una secta cismática dentro de los esenios. Hoy se sabe que Juan el Bautista fue un líder profético esenio y primo de Jesús. Entonces, ¿se hizo cargo Jesús del liderazgo de Juan después de su muerte? Muchos así lo creen. Es también conocido que Juan el Bautista envió algunos de sus discípulos para unirse al grupo de Cristo, uno de ellos fue Juan, el discípulo amado. De ahí en adelante, de acuerdo con Sandy Hamblett "nos desplazamos hacia la teología gnóstica y la teología del Evangelio de Juan".

Casi mil años después, los Caballeros Templarios (que con frecuencia fueron llamados "cristianos Johaninne" y "los caballeros de San Juan") entraron en escena y muchos tienen la teoría de que ellos protegieron a los descendientes de Cristo. De esta manera, tenemos el misterio completo del linaje merovingio y las primeras sectas judías cristianas evolucionando en cristianos gnósticos, tales como los cátaros.

¿Por qué los supuestos secretos que poseían los gnósticos llevaron a generar tanto odio, guerras y rebelión? Bueno, tendríamos que observar cuán poderosa era la Iglesia Católica en función de influencia y riqueza. Si usted no seguía sus doctrinas, se le decía que iría al infierno. Este tipo de actitud fomentó la práctica de las indulgencias (ayudando a aumentar la riqueza de la

Iglesia), la cual, básicamente, consistía en un pago que hacían los fieles para absolver de pecado a sus muertos o parientes agonizantes y así evitar que fueran al infierno.

La Iglesia, finalmente, empezó a corregirse después de la Reforma liderada por Martin Lutero y la formación de la Iglesia Anglicana en Inglaterra, eventos que fueron un gran llamado de atención. Sin embargo, tanto católicos como protestantes empezaron a pelearse por el dominio de la población cristiana del mundo occidental y ambos grupos terminaron relegando a Jesús a un segundo lugar.

Los dos grupos tomaron la interpretación de Pablo con relación a la vida y enseñanzas de Cristo, convirtiéndolo en el Hijo de Dios que fue crucificado y luego resucitó. De ninguna manera aceptaban que nuestro Señor estuvo casado y tuvo hijos, porque en sus mentes esto le quitaba su característica de ser divino. Y si Jesús no murió en la cruz no habría habido forma de culpar a quienes se les ha dicho que "Él murió por nuestros pecados", y tampoco habría bases para la resurrección. Esto llevó a una seria edición de la Biblia, incluyendo la expurgación de varios evangelios. *Todo* tenía que estar de acuerdo con la visión de los seguidores de Pablo.

Por otro lado, los gnósticos, aunque respetaban las enseñanzas de Cristo, creían en él únicamente como mensajero de Dios. Supieron que estuvo casado, tuvo hijos, no murió en la cruz, tenía un lado humano y no podía ser llamado "Dios". También creían en la dualidad, de un Dios Padre y Madre, y propusieron el concepto de que se podían adorar en cualquier parte, y que su reino residía en el alma.

Cuando los cátaros y los Caballeros Templarios trataron de llevar estos mensajes de verdad, fueron exterminados por los cristianos, debido a que tales enseñanzas sólo prometían amor, perdón y alivio para la humanidad, sin el temor al castigo. Esto, por supuesto, mantenía a los fieles fuera de la Iglesia, haciendo innecesario el gran negocio de "salvar almas". Para escapar de la persecución, se empezaron a formar grupos gnósticos clandestinos, con la esperanza de poder sobrevivir el tiempo suficiente para llevarle a la gente el mensaje sobre la misión verdadera de Cristo.

La verdad sigue emergiendo...

El siguiente secreto al que me voy a referir, no necesariamente parece tener algo que ver con el tema de este libro, pero a medida que usted lea, se dará cuenta que encaja perfectamente.

Es sorprendente lo sincrónica que puede ser la vida, muchas veces cuando estoy trabajando en un proyecto, aparece gente con información que extrañamente tiene que ver con el tema del cual estoy escribiendo, aunque ni siquiera haya tenido oportunidad de mencionarlo. Ahora que estoy terminando este libro sucedió nuevamente. En los últimos dos días, ha habido una cantidad de programas en la televisión sobre nuevos descubrimientos de escritos gnósticos, encontrados en los años 70 y mantenidos en total reserva por la Sociedad Geográfica Nacional. Parece que ellos tienen entre cuatro a seis académicos tratando de descifrar más de 1.000 piezas de antiguos papiros para estudiarlos y traducirlos, antes de poner el material a disposición del público. Ese descubrimiento es el Evangelio de Judas.

Lo que hace esto de una exactitud inquietante, es que mi guía Francine ha defendido a Judas por años, y estoy segura que mucha gente se ha sentido desilusionada porque ella no ha dado ni un paso atrás en esa defensa. En mis conferencias he traído el punto a colación, explicando que Judas hizo lo que debía hacer para contribuir al complot de la supuesta muerte de Cristo en la cruz. También he usado el caso de Judas como ejemplo para demostrar lo que pasa cuando juzgamos apresuradamente a otras personas.

En mayo de 1972, nuestro primer grupo de investigación (la mayoría de sus integrantes todavía son parte del mismo) estaba trabajando ávidamente con Francine durante un trance. Ella estaba hablando de la vida de Jesús cuando alguien le preguntó sobre Judas. La transcripción de la sesión acredita específicamente lo que afirmó: "Él ha sido vilipendiado de manera errónea a través de los siglos, en realidad fue un peón muy importante en el cumplimiento de la conspiración acordada entre Pilato y Cristo, porque ellos debían hacer lucir la crucifixión muy real para que el Sanedrín creyera en su autenticidad. Él tuvo que ir y entregar a Jesús como un disidente. El mismo Cristo le imploró hacerlo, aunque Judas no quería". Ella continuó diciendo que Jesús lo convenció de representar este papel porque no podía confiar en nadie más para hacerlo. Entonces, Judas asumió el rol de traidor y ha estado marcado por el mismo desde esa época.

La razón por la cual incluí este asunto aquí, es porque es una parte esencial de los conocimientos secretos guardados por los gnósticos. Algunos de mis ministros han dicho: "Deberíamos haber sido los primeros en haber sacado este asunto a la luz", pero les contesté que ese no era el momento adecuado. En los setenta el mundo no estaba listo para oír esta información, porque la conciencia espiritual estaba en su primera infancia y la gente, simplemente, seguía las reglas. No fue hasta los ochenta cuando la gente empezó a cuestionarse más las cosas y aún en ese momento mi grupo era mirado con recelo, porque muchos individuos no sabían si estábamos alucinando o simplemente éramos locos.

Como dice la Biblia, cada cosa a su tiempo. Sí, estábamos conscientes de esta información mucho tiempo antes de que fuera hecha pública, ¿y qué importa? Mi filosofía siempre ha sido que no debe importar quién ponga de manifiesto la verdad, mientras ésta haga pensar y reaccionar a la gente. Como lo he dicho un millón de veces, escuche, investigue, lea, piense y después tome lo que siente que es correcto y deje el resto atrás.

Es sencillamente maravilloso que después de haber estado escondida durante siglos, toda esa valiosa información finalmente esté saliendo a la luz. Cuando preguntaba algo en el colegio, nunca acepté como contestación: "No hay respuesta porque eso es un misterio". Ahora sé, por Francine, que por cada pregunta que pensemos hacer, Dios tiene una explicación lógica. ¿Por qué darnos mentes inquisitivas si se supone que no debemos conocer la verdad?

¿Cuál es la razón para que cualquiera de los conocimientos secretos de los esenios, templarios, cátaros y otros gnósticos sea tan controversial? Estos, ciertamente no afectan la divinidad o los mensajes de Cristo, ¿entonces, qué es lo que los hace tan impactantes? Jesús siempre trató de explicar sus ideas ante sus seguidores de manera que pudieran entender. Hablaba en parábolas para que sus enseñanzas fueran mejor comprendidas por el pueblo iletrado. Nunca usó el refugio del misticismo o de los conceptos crípticos para sus palabras, ni respondió preguntas diciendo: "Esto es un misterio", como sí lo hacen muchas organizaciones religiosas modernas.

Cualquiera que haya estado en mis conferencias o leído mis escritos, sabe que constantemente he estado explicando cómo los gnósticos han tratado de permanecer fieles a las palabras de Cristo, sean estas de la Biblia u otros textos como los libros apócrifos, absteniéndose de hacer sus propias interpretaciones. Sin embargo, parece ser que casi todas las iglesias cristianas han hecho sus propias lecturas, de acuerdo con sus necesidades. Esto nos lleva al capítulo final del libro, en el cual explico la cantidad de corrupción y conspiraciones que pueden generarse cuando la verdad es distorsionada o suprimida.

CAPÍTULO DIECISÉIS

TEORÍAS DE CONSPIRACIÓN Y CORRUPCIÓN

*M*uchas de las organizaciones encubiertas, fraternidades y aún religiones empezaron con las mejores intenciones, solamente para ser echadas a perder por el ego y los intereses de ciertos individuos. Mientras Jesús predicó que la tierra no es nuestro reino, varias personas llevan a cabo actividades para su provecho personal... aunque siguen diciéndose a ellos mismos que están construyendo un mundo mejor. De alguna manera, estas personas están convencidas que el encubrimiento y las atrocidades son "males necesarios" en beneficio de toda la humanidad.

Varios gobiernos en el mundo trabajan de la misma manera; de hecho, no sería exagerado decir que también son sociedades secretas. Después de todo, sólo conocemos lo que nuestros líderes nos dicen o lo que es revelado por investigaciones de la prensa. No me malinterprete, no estoy desconociendo que los Estados Unidos es la nación con mayores libertades que nunca haya visto, pero debemos preguntarnos qué tanto van a durar esas libertades. Claro, tenemos la Freedom of Information Act (Ley de libertad de información), pero puedo apostar que el 95 por ciento de mis compatriotas ni siquiera saben de qué se trata... y aún, si es utilizada, solamente estaremos llegando a la punta del iceberg.

En nuestra calidad de ciudadanos, realmente sabemos muy poco sobre las operaciones clandestinas que manejan nuestros gobiernos todos los días. Quiero decir, ¿cuántos de nosotros sabemos de una manera exacta lo que la CIA hace o ha hecho en el pasado? No estoy diciendo que esta organización sea mala, porque estoy segura que muchas de sus acciones son para la "seguridad de la patria" y protección de nuestra nación, pero *han* cometido acciones horribles a través de los años.

Por ejemplo, la CIA, el FBI y grupos relacionados han sido conocidos por instalar dictadores en todo el mundo, quienes luego se han vuelto en contra de sus pueblos cometiendo genocidios. Entonces, ¿qué papel juega la moral? ¿Quién pondrá límites para detener este tipo de cosas, especialmente cuando están más allá de los intereses de nuestro país?

Sé que esto va a sonar como en la obra *1984* de George Orwell, pero cuando usted se detiene a pensar, ¿qué tanta libertad tenemos realmente? Aún en nuestros días, gente alrededor del mundo está siendo perseguida por su origen étnico, raza, género, orientación sexual y religión. Los que están en el poder pueden crear guerras; manipular proyectos para convertirlos en leyes; regular nuestra gasolina, electricidad y comida; y controlar lo que hacemos y decimos. Sí, incluso los estadounidenses, podemos ver nuestros formularios de impuestos vendidos, nuestras identidades robadas, nuestras conversaciones grabadas y nuestros derechos restringidos en un gran número de áreas ¿qué puede hacer una persona común y corriente al respecto?

Bueno, tenemos que seguir con nuestras vidas y hacer lo mejor que podamos. Debemos tener cerca a nuestros amigos y seres queridos, rogando para que ninguno de ellos sea atrapado por adicciones, crímenes o grupos ocultos. Yo tengo una fe serena en el espíritu humano, especialmente en la espiritualidad misma. Solamente, les pido que recuerden, especialmente mientras leen las siguientes páginas, que aunque este es un planeta oscuro, no significa que no podamos hacer brillar nuestra propia luz.

Una advertencia de Francine

Como he dicho varias veces en mis conferencias y apariciones en la televisión, en la medida que muchos de nuestros dogmas religiosos se destruyan, las organizaciones encubiertas y grupos ocultos empezarán a proliferar. La formación de esa clase de asociaciones generalmente es resultado directo de hombres y mujeres que, de alguna manera, se sienten perdidos y consecuentemente se focalizan en las necesidades básicas del ser humano. Aunque estas personas pueden ser atraídas hacia las sociedades secretas de carácter espiritual o político, también hay otras comunidades que pueden llamar su atención. Estas otras organizaciones parecen ser tan extravagantes y alienantes con sus actividades (como beber sangre, hacer sacrificios y demás), que las he llamado "sociedades marginales".

Mi guía espiritual Francine dice que muchos de los fundadores de estos grupos son definitivamente "entes oscuros". Estos individuos permiten a sus egos tomar control de su intelecto, buscando obtener poder de cualquier forma, y ocasionando de esa manera su separación de Dios. Los entes oscuros desean tener control sobre este planeta, lo cual nunca pasará porque los "entes blancos" (la mayoría de la gente en el mundo) jamás se tornarán oscuros. Sin embargo, muchos entes blancos se han unido a sociedades y cultos marginales, bien sea por ignorancia, búsqueda espiritual o como respuesta a un líder carismático.

Por ejemplo, la mayoría de la gente que desafortunadamente murió en la tragedia del culto de Jim Jones, eran entes blancos que simplemente estaban en la búsqueda de un mesías. Por supuesto que Jones sí era un ente oscuro, enamorado de su propia codicia y egotismo. Usted se preguntará por qué los entes blancos no fueron capaces de visualizar lo que pasaba... bueno, muchos de ellos lo hicieron; desdichadamente, en ese momento ya estaban atrapados y sin salida en Guyana. Estoy segura que tomaron el Kool-Aid para escapar de los sentimientos de desesperanza y falta de protección, debido al lavado de cerebro y a la intimidación de un hombre desquiciado.

No podemos asumir que todas las personas que siguieron a Adolfo Hitler eran tan oscuras como él. Muchos de estos hombres y mujeres fueron enganchados por el carisma del dictador, idolatrándolo porque le devolvió el orgullo a Alemania, después de su derrota en la Primera Guerra Mundial. Cuando el poder lo corrompió llevándolo a cometer actos abominables, muchos de estos seguidores temieron por sus propias vidas. Entonces, los entes blancos que inicialmente lo reverenciaban, terminaron luchando en su contra.

Francine confirma que "cualquier ente blanco puede ser manipulado, pero siempre vuelve a su camino como una liga de hule". Continúa diciendo que "probablemente no hay una sola persona en este mundo que no haya sido manipulada, de alguna manera, por las fuerzas oscuras debido a la vibración negativa de este planeta". También advierte que muchos de los fundadores de las sociedades secretas se aprovechan de un falso ego y de los temores característicos de los seres humanos. (En otras palabras, le dicen que ganará el cielo o cualquier otra recompensa por seguirlos a ellos). Usualmente también son personas sin valores que consideran correcto aprovecharse de los demás.

Mi guía espiritual reporta que algunas de las organizaciones clandestinas están actualmente manipulando muchos de los asuntos mundiales, causando epidemias (¿SIDA en África?), problemas en el suministro de alimentos (¿enfermedad de las vacas locas?), crisis energéticas (¿apagones y escasez de gasolina?) y guerra (¿Medio Oriente, Vietnam, Corea y Bosnia?). Ella continúa diciendo que si usted piensa que estas cosas son atemorizantes, sólo son pequeños pinchazos antes de la llegada del "gran golpe".

Contestando la inevitable pregunta de "¿qué podemos hacer?" recuerdo lo que Francine le dijo a mi grupo de investigación hace tres décadas:

> Su esencia espiritual emergerá y emprenderá una búsqueda gnóstica para encontrar lo que nuestro Señor dijo: "Busque su verdad espiritual no sólo dentro de sí mismo, sino en el exterior. Esto de por sí libra la batalla en contra de la negatividad. A pesar de lo graves que estarán todas las cosas al final del siglo [tenga en cuenta que esto lo dijo en los años setenta], más fuerza tendrá la cordura que luchará valientemente para superarlas".

Recuerde que el esquema del patrón de reencarnación para este planeta, está casi en su etapa final. Entonces, como muchos entes quieren terminar, están llegando cansados, traumatizados por la guerra y no han tenido tiempo suficiente para reunir la fuerza y esencia espiritual necesarios, por lo que parecen ratas abandonando el barco.

Francine era verdaderamente una voz predicando en el desierto y lo que me asombra son sus profecías sobre eventos mundiales, muchos años antes de que sucedieran. Por ejemplo, ella habló sobre la guerra biológica, diciendo que habría muchas enfermedades y aflicciones extrañas apareciendo en las siguientes décadas. Bien, ¿no estamos viendo esto convertirse en realidad con el surgimiento de la fibromialgia, el síndrome de fatiga crónica, el virus de Epstein-Barr, la enfermedad del legionario, el síndrome respiratorio agudo severo y la gripe aviar? También, dijo que la esclerosis múltiple y la enfermedad de Lou Gehrig se incrementarían, el Alzheimer se esparciría sin control, y más y más niños estarían afectados por el déficit atencional ADD, y el déficit atencional con hiperactividad ADHD.

Todavía me causan dudas los llamados desórdenes de atención porque pienso que no existen y definitivamente, muchos individuos son diagnosticados con esta condición erróneamente. Parece que si las personas no entran dentro de una categoría predeterminada, les ponemos una etiqueta para separarlos de la experiencia humana "normal" y luego marginarlos o eludirlos completamente. ¿Tiene esto alguna diferencia con el intento de Hitler de crear una raza aria pura? La imperfección humana siempre ha sido enfrentada con temor e intolerancia.

Las mentiras y secretos del Vaticano

Si vamos a discutir teorías de conspiración y corrupción, ciertamente no podemos ignorar a la Iglesia Católica. Con ese fin, me gustaría dar una breve mirada al Papa Bonifacio VIII. Bonifacio fue elegido Papa en 1294, después de la abdicación del Papa Celestino V, y uno de sus primeros actos fue encarcelar a Celestino hasta su muerte en 1296 a la edad de 81 años. Tiempo después, Bonifacio vino a ser conocido por la formalización de los jubileos, por publicar su famosa bula *Unam Sanctam* en 1302 y por su participación en asuntos "temporales" que causaron enemistad entre la Iglesia y varios gobernantes, especialmente el rey Felipe IV ("Felipe el justo") de Francia.

Bonifacio hizo una de las más atrevidas proclamas de supremacía espiritual del papado, afirmando: "Es necesario para la salvación, que toda criatura viviente esté sometida al pontífice romano". Estuvo en permanente conflicto con el rey Felipe IV, quien había grabado con fuertes impuestos a la Iglesia para pagar por sus guerras. Bonifacio excomulgó a Felipe en 1303, acción que finalmente resultó en su captura y detención por parte del rey.

Como puede ver, el Papa Bonifacio VIII no sólo fue fuerte en sus tratos con otros sino en sus opiniones. Muchos en la Iglesia no lo querían, pero le temían, especialmente porque se afirma que dijo lo siguiente (aunque algunos académicos no están de acuerdo):

- "La religión cristiana es un invento humano, igual que la fe de los judíos y los árabes."

- "La muerte tiene tan poca importancia como la de mi caballo, que murió ayer."

- "María, cuando llevaba en su vientre a Cristo, era tan virgencita como mi propia madre cuando me dio a luz."

- "El sexo y la satisfacción de los instintos naturales es un pecado tan pequeño como lavarse las manos."

- "El paraíso y el infierno sólo existen en la tierra; la gente saludable, rica y feliz vive en el paraíso terrenal; los pobres y enfermos están en el infierno terrenal."

- "El mundo existirá para siempre, nosotros no."

- "Cualquier religión y especialmente la cristiandad tienen algunas verdades pero también muchos errores. La larga lista de falsedades cristianas incluye la Trinidad, el nacimiento proveniente de una virgen, la naturaleza divina de Jesús, la transformación eucarística del pan y del vino en el cuerpo de Cristo y la resurrección de los muertos."

Fuertes declaraciones... que además proporcionan material para escrutinar sobre las percepciones de la cristiandad, y si la misma fue construida o no sobre mentiras y engaños. Después de todo, estas declaraciones fueron hechas, supuestamente, por un Papa que tenía acceso secreto a los conocimientos de su religión.

Francine dice que si pudiéramos tener acceso a los archivos privados del Vaticano, veríamos la verdad.

Quiero decir, si la Iglesia Católica no está escondiendo nada ¿por qué no podemos meternos en esos archivos e investigar? Aunque, últimamente, algunas de sus áreas han sido abiertas a los académicos, es un acceso ciertamente controlado. Encuentro muy divertido que cuando el famoso autor Taylor Caldwell estuvo de acuerdo en someterse a una regresión hipnótica para el libro *The Search for a Soul: Taylor Caldwell's Psychic Lives* de Jess Stearn, su guía Darios le dio tanta información que el Vaticano se puso en contacto con Caldwell para preguntarle quién había estado espiando dentro de sus muros. Supongo que si usted basa sus creencias en años de ocultaciones, obviamente será desconfiado.

Lo único que puedo concluir es que la Iglesia siente que la verdad le puede causar daño e incluso destruirla. De otra manera ¿por qué no presentarse con todo el conocimiento que tiene? Esto podría arrojar luz a los recientes hallazgos que han surgido sobre Jesús, María Magdalena, los pergaminos del Mar Muerto y los escritos de Nag Hammadi. Estoy segura que la mayoría de los jerarcas de la Iglesia ni siquiera están conscientes de los viejos manuscritos que hay en sus profundas cavernas, por lo cual debemos abstenernos de ser demasiado críticos. Sin embargo, podemos continuar haciendo preguntas sobre la información que durante tanto tiempo ha sido suprimida.

La Iglesia Católica ha pasado mucho tiempo de su existencia en estado de conmoción interna, y como lo muestra su historia, fue una gran fuente de crueldad y temor. En sus cruzadas e inquisiciones asesinaron a millones, igual que en su constante búsqueda de riqueza, control y poder. Durante siglos la intención de la Iglesia permaneció inalterable: someter a los pobres mientras llamaba a la guerra y al cambio, en el nombre de Dios.

Ni siquiera la época del Renacimiento trajo mucho alivio a los pobres, aunque las artes y ciencias estaban comenzando a florecer. En lugar de la existencia de numerosos y pequeños feudos, poderosos países como Inglaterra, Francia y España empezaron a formarse; pero las guerras continuaron, igual que las ambiciones políticas de la Iglesia y sus deseos de poder.

Fue en esta época cuando brotaron más que nunca las sociedades secretas. Algunas persiguiendo la riqueza y el poder a través del Nuevo Orden Mundial, mientras otras (como los cátaros) sólo pretendían tener el derecho de adorar a Dios a su manera. Es interesante destacar que los grupos encubiertos que buscaban libertad religiosa fueron en su mayor parte destruidos, mientras aquellos que perseguían el poder, la riqueza y el control sobreviven hasta nuestros días. Este plano de la existencia terrenal es verdaderamente un lugar donde el mal abunda y prospera, lo cual se debe, no en poca medida, a la sed de la humanidad por el poder y la riqueza, especialmente cuando se trata de las religiones del mundo. No obstante, para ser justos, la Iglesia Católica de los tiempos medievales era muy diferente a la Iglesia de hoy, pero ¿no vemos todavía a la religión causando estragos, aunque de una manera ligeramente más sutil?

Personalmente hablando...

Sé que parezco la peor enemiga de la Iglesia Católica, pero les aseguro que no lo soy; de hecho, toda esta información negativa me deja muy desconsolada. Quería ser monja y adoré los 18 años que estuve como profesora en una escuela católica, pero no tuve otra alternativa diferente a decirles la verdad tal y como la vi. Si lo que encontré se hubiera relacionado con la fe bautista, mormona o episcopal, habría sido de la misma manera. No soy más que una persona honesta, y toda la información que he compartido con ustedes en estas páginas está en los libros de historia para que cualquiera la pueda ver.

Siendo ex-católica (y todavía un poquito en mi corazón), algunas veces me acongoja ver lo que la Iglesia podría haber sido, pero no puedo ignorar las atrocidades, asesinatos, corrupción y todas las demás cosas que fueron ejecutadas a través de su larga y tormentosa historia. Sólo desearía que los "grandes personajes" del Vaticano fueran más honestos. He hecho amistad con muchas monjas y sacerdotes a través de los años y conozco de primera mano todo lo que estas maravillosas personas hacen para tratar de ayudar cada día y desinteresadamente a la mayor cantidad de individuos, mientras los influyentes gastan su tiempo cubriendo escándalos. Me dan ganas de llorar.

Como gran parte de mi vida ha estado dedicada al servicio de la Iglesia, sé que es un hecho que los buenos sacerdotes y monjas con los cuales trabajé eran tan ignorantes como yo..., excepto que yo nunca dejé de hacer preguntas. Durante mi educación católica, siempre terminé en la oficina del decano o del director, donde con frecuencia me aseguraban que "todo esto era parte de los misterios" y no tenía derecho a explorar sobre lo que no me concernía, porque era mujer, y terriblemente egoísta al pensar que podría llegar a estar cerca del conocimiento de los grandes teólogos. Esto me mantenía callada por un tiempo, pero luego volvía a la carga.

El hecho de que la Iglesia sea tan patriarcal no va muy bien conmigo. De ninguna manera soy una activista de la liberación femenina, pero creo que debemos estar al mismo nivel que los hombres. La Iglesia, obviamente, no lo ve de esa manera.

Nunca olvidaré al padre Freeman, cuando vino a hablar en el Colegio Femenino de Santa Teresa en la ciudad de Kansas, Missouri (ahora conocido como Universidad de Ávila), en el cual yo estudiaba. Empezó con una diatriba respecto a los defectos de las mujeres y cómo ellas debían mantenerse en su "sitio" (cualquiera que ese fuera). Escuché su discurso más o menos por una hora hasta que no pude resistir. Levanté la mano, viendo como se ponía roja de vergüenza la hermana Regina, administradora del colegio. Le pregunté: "Padre, con el debido respeto, ¿cómo llegó usted a esta tierra, si no fue porque una mujer lo trajo al mundo? Así sea bueno o malo, la verdad es que usted está aquí de acuerdo a como Dios ha ordenado las cosas para que todos lleguemos a este planeta".

Se quedó en silencio por un momento y luego replicó: "¿Cuál es su nombre?"

"Sylvia Shoemaker".

"Bien, señorita Shoemaker", respondió, "usted dijo lo suyo, y yo dije lo mío". Y diciendo esto, desapareció de la escena.

Las otras niñas que estaban atendiendo la conferencia empezaron a vitorearme y con cierta vacilación me dirigí hacia donde estaba la Hermana Regina, quien me miraba directamente a los ojos y sonreía. Puedo decirles que en ese momento me di cuenta la fuerza con la que estaba latiendo mi corazón.

La razón por la que comparto esta historia es porque aún en mi época escolar en los años cincuenta, éramos educadas en lo que se consideraban carreras "aceptables" para las mujeres, por ejemplo, la docencia y la enfermería. O también podíamos ser "buenas amas de casa" y criar una familia siempre como agradables y obedientes esposas cristianas.

Sin embargo, yo discutía constantemente con monjas y sacerdotes (pobrecitos) y estoy segura que estuvieron felices cuando me gradué. No obstante, el otro día, hablando con una de mis antiguas directoras a quien siempre quise y admiré, le pedía excusas por haberles hecho pasar tantos malos ratos; para mi sorpresa, me dijo: "¡No seas tonta! Nosotros te quisimos mucho y sabíamos de tu búsqueda de la espiritualidad y la verdad. Además, siempre nos mantuviste alerta y motivadas a leer e investigar". Por supuesto que estas palabras me hicieron sentir mucho mejor en lugar de verme como una irritante agitadora de masas.

Otra cosa interesante que me sucedió durante los años escolares fue cuando un día, el Padre Tomás, jesuita y amigo mío, me dijo lo siguiente: "Sabes, Sylvia, esta mañana cuando estábamos hablando durante el desayuno, alguien, sin razón alguna, preguntó: '¿qué pasaría si nosotros [la Iglesia] resultáramos ser el anticristo?'"

Quedé atónita con lo que dijo y de ninguna manera estoy poniendo esto aquí porque yo lo crea. Al contrario, sólo quiero mostrarles que los jesuitas pueden ver el lado filosófico de las cosas, incluso cuando se trata de temas que pueden entrar en conflicto con el dogma católico. Supongo que esa es la razón por la cual me siento tan identificada con ellos, siempre me han gustado los rebeldes.

Existe algo de envidia entre los miembros de la Iglesia hacia los jesuitas porque están considerados como una orden muy elitista. Muchos de ellos tienen altas posiciones en la jerarquía eclesiástica, en su calidad de maestros e investigadores de la fe, así como también, fundadores de grandes universidades. Recuerdo que en mis clases de teología en la universidad, con frecuencia encontraba breves expresiones aludiendo a los jesuitas como los renegados de la Iglesia, debido a que sabían demasiado y consecuentemente, no podían ser controlados.

Recuerdo a uno de mis profesores, el Padre Hicks (no jesuita), quien una vez comentaba que los jesuitas estuvieron a punto de ser excomulgados. Al día siguiente, cuando le pregunté sobre este asunto, me respondió tartamudeante: "Algunas veces hablo sin pensar". Creo que la reputación de los jesuitas viene de los conocimientos que tienen sobre la historia de la Iglesia, los cuales, desde luego, incluyen influencia gnóstica. El conocimiento genera poder de muchas maneras, especialmente cuando la mayoría de la gente no tiene acceso a la misma información. Me intriga muchísimo por qué de todas las órdenes que había disponibles, los jesuitas fueran los elegidos para absorber el Priorato de Sión.

De todas maneras, me tomó unos minutos calmarme después de que el Padre Tomás hablara sobre la posibilidad de que la Iglesia Católica fuera el anticristo. Finalmente, le pregunté a mi amigo cómo era posible en el nombre de Dios, que hubiera dicho lo que en ese momento sentí como una tremenda blasfemia (1954). Él contestó: "No sé... a lo mejor estoy simplemente deprimido y he estado haciendo mucha investigación sobre la Iglesia y leyendo sobre diferentes grupos".

No fue hasta años después que esta respuesta me produjo escalofríos. Tengo que decirles que cuanto más descubro cosas sobre la Iglesia Católica, más perturbadora se vuelve, especialmente si usted ha estado tan cerca como lo he estado yo. De nuevo, estoy segura que la mayoría de los católicos no saben nada de esto y nunca han sido instigados para buscar algo que ni siquiera saben que existe.

El problema con la religión organizada

La cristiandad, y especialmente el catolicismo, tiene probablemente la historia más sangrienta de cualquiera de las religiones importantes en la historia de la humanidad. En 1998, el Papa Juan Pablo II tuvo que llegar hasta el punto de pedir perdón por la falta de acción de la Iglesia Católica en contra de los nazis durante la Segunda Guerra Mundial. Nuevamente, en marzo de 2000, expresó remordimiento, esta vez debido a las Cruzadas, a la persecución de los judíos y al asesinato injusto de herejes. Sin embargo, en ambas ocasiones, afirmó que habían sido sólo ciertos católicos y no la Iglesia misma la que había cometido estos agravios. No dio nombres, pero admitió que esos miembros de la Iglesia se habían equivocado en su criterio.

Desdichadamente, estas declaraciones recibieron muy poca publicidad, lo cual no fue suficiente para los que sienten que la Iglesia no ha sido capaz de pedir verdaderas disculpas. Hoy hay mucha gente buscando más disculpas, especialmente a la luz de lo sucedido con sacerdotes y monjas católicos involucrados en escándalos sexuales relacionados con niños. Esto demuestra lo extremadamente lenta que puede ser la Iglesia para admitir un error, pero ¿cómo podría disculparse por todo lo que ha hecho durante siglos? Al menos, para darle crédito a la institución, finalmente reconocieron que habían cometido malas acciones, lo cual mitiga algo de su hipocresía, pero ciertamente no el daño hecho. Esos individuos corruptos dentro de sus filas deben vivir día a día con la culpa de lo que han hecho.

Todavía puedo sentir poca simpatía por la Iglesia Católica moderna, que ha tratado de quitarle importancia a su historia y encubrimientos... ¿qué más pueden hacer? El camino ha sido establecido por sus antepasados corruptos y no veo que vayan a cambiar el curso hasta que sean forzados a hacerlo. Los recientes escándalos y su inquebrantable conservadurismo sólo están contribuyendo a su declive, porque definitivamente están perdiendo poder en este mundo. De hecho, tal parece que el karma de la Iglesia la ha alcanzado, gracias a la mala prensa y a la obligación de pagar millones en respuesta a las demandas por los escándalos sexuales.

Estoy segura que si la Iglesia Católica no fuera tan rica y poderosa, toda esta negatividad la hubiera llevado finalmente a su destrucción, pero estamos hablando de una organización que se remonta a cientos de años atrás y tiene sus tentáculos en los negocios, la banca, el comercio y también en muchas actividades encubiertas. Debe ser muy difícil para los clérigos piadosos, quienes conocen la verdad, practicar su sacerdocio bajo este entorno de falsedad.

En realidad no quiero individualizar al catolicismo aquí, pues hoy en día es una religión más amorosa y gentil. Desdichadamente, veo florecer en estos días toda clase de iglesias conservadoras y evangélicas, tanto a la derecha como a la izquierda, promoviendo odio e intolerancia, utilizando el temor al infierno y a Dios para controlar a sus feligreses y decirles cómo deben vivir.

Cuando los cristianos observan al Islamismo, preguntan cómo puede ser que clérigos extremistas envíen a sus fieles creyentes con la misión de matar a otros y a sí mismos, basados en la promulgación del mensaje de odio en contra de los infieles. *Yo me* pregunto, cómo es que los pastores y ministros cristianos predican su desprecio contra homosexuales, minorías o cualquiera que no esté en línea con sus creencias. A menos que ambas religiones empiecen a predicar y a hacer cumplir la norma de "No hacer a los demás lo que no deseamos que nos hagan a nosotros" antes que esparcir mensajes de odio e intolerancia, no serán nada más que hipócritas.

Muchas religiones empezaron con buenas intenciones y terminaron corrompidas debido a la búsqueda de riqueza y control por parte de sus líderes. Cuando la riqueza y el poder se vuelven más importantes que Dios, es el momento de cambiar. Y si alguien le cita las Sagradas Escrituras, diciéndole: "Pero lo que realmente significa es esto" ¡Tenga cuidado!

Creo que independientemente de quién sea y dónde esté, usted puede amar y adorar a Dios. Puede unirse a una organización religiosa con sus doctrinas y dogmas, pero es imperativo que sienta la libertad de realmente amar a Dios. Cualquier grupo que le diga cómo debe vivir, qué comer o cómo actuar, mientras usan la amenaza de la culpa, el pecado y la excomunión es una organización oculta. Desdichadamente, esa etiqueta puede aplicarse a la mayoría de las religiones del mundo, que se han convertido en sociedades secretas al esconder información.

Mi guía espiritual Francine dice que no hay religión que sea la única portadora de la verdad, hay virtudes en todas ellas, pero tienen diferentes formas de rendir homenaje a Dios. Aún así, el islamismo, el judaísmo y el cristianismo, continúan masacrándose entre ellos tanto en palabras como en hechos, perpetuando la maldad y la hipocresía e impidiendo que alguna vez salgamos del "oscurantismo religioso". Las tres deben empezar a revertir su curso y enseñar tolerancia, bondad y amor por sus semejantes.

Dios nos creó a todos iguales y como cada cual tiene su propia relación personal con Dios, ¿quién puede afirmar que uno es mejor que otro? El credo y la fe son intrínsecamente suyos, como quizás nada más lo es en este mundo. Entonces, como usted es la única persona que sabe el alcance y profundidad de sus creencias, sólo debe hablar por usted mismo.

En otras palabras, no podemos juzgar las creencias de otros, ni tampoco llegar a conclusiones sobre ellos basados en su cercanía a Dios. Solamente podemos medir qué tan cercanos estamos *nosotros* a Él. También, si nuestro Creador es todo amor, perfección y omnipotencia, entonces no hay forma de concebirlo como un ser malvado, vengador o iracundo. La humanidad siempre le ha atribuido los desastres naturales, las enfermedades y toda clase de aflicciones. Además, nos enseñaron a temerle y no a corresponder al amor que nos da.

Personalmente, condeno a los que piensan que Dios no ama a todas las criaturas de su Creación. Pensar que hay ciertas razas o grupos étnicos a quienes no ama, es un absurdo. Decir que Dios está del "lado" de alguien durante una guerra o genocidio, supuestamente llevado a cabo en su nombre, es completamente ilógico y equivocado; al contrario, estaríamos insultándolo, porque estamos destruyendo su trabajo. Cualquiera que verdaderamente ame a Dios estará siempre en contra de la crueldad entre los seres humanos.

Debemos defendernos de las atrocidades del mundo haciendo brillar nuestra luz continuamente, siempre con la esperanza puesta en que algún día aquellos que cometen acciones atroces se den cuenta que sus intereses (personales, de un grupo o una nación), *deben* pasar a segundo plano ante Dios para que alguna vez podamos tener paz en este mundo. Si somos tolerantes con los demás y vigilamos las organizaciones ocultas, tal negatividad desaparecerá; después de todo, estas sociedades no podrán operar sin sus devotos seguidores y el soporte financiero.

EPÍLOGO

*H*a sido fascinante para mí examinar toda la información que ha salido sobre las organizaciones clandestinas, conspiraciones y corrupción, el Nuevo Orden Mundial y el encubrimiento de varios escándalos políticos y religiosos. Sin embargo, tratar de investigar y descubrir los vínculos entre estos grupos y separar los mitos y falsas afirmaciones de la verdad, ocasionalmente me llevó a grandes dolores de cabeza.

Ciertamente, destapé una olla podrida cuando decidí escribir un libro sobre las sociedades secretas, porque muchos académicos, investigadores y teóricos sobre el tema tienen sus propios intereses, bien sea el académico católico tratando de defender su religión o el fanático asegurando que los extraterrestres se han infiltrado por todas partes. Es también descorazonador darse cuenta que muchas de estas organizaciones parecen ser "titiriteros", orquestando guerras, influenciando la economía o controlando nuestros recursos naturales, y haciéndonos sentir que el Gran Hermano está vigilándonos. Aunque protesten, afirmando que no son de naturaleza oculta, estos grupos tienen prácticas bastante peligrosas. Mi lógica es, si usted está haciendo lo correcto y sujeto a la moral, ¿cuál es la necesidad de ocultarlo?

Mi guía Francine dice que no llegaremos a estar gobernados por estas organizaciones clandestinas durante nuestra vida, pero a medida que el tiempo pase, ellas *estarán* creciendo en poder y número. De ninguna manera creo que el amotinamiento y otros actos de rebelión sean la respuesta, en su lugar, y aunque parezca simplista, el amor y la espiritualidad *serán* la forma de conquistarlo todo. Esto no significa que debamos hacernos los desentendidos con relación a la corrupción y la conspiración que prevalece en nuestro mundo; por el contrario, debemos caminar a través de la oscuridad para entregar esperanza y amor donde quiera que podamos, tal como Jesús lo hizo.

El dinero y el poder se han convertido en los nuevos dioses para muchos, pero cuando mantenemos o incrementamos nuestra propia espiritualidad, permanecemos como faros de luz que nunca podrán ser apagados. También debemos darnos cuenta de nuestras propias fallas, como dijo Jesús: "Los mejores hombres caen siete veces en un día". Cuando estamos tan ocupados tratando de no caer en pecado es cuando terminamos no siendo nosotros mismos y, cuando no lo somos, nunca podemos vivir la verdadera libertad y felicidad, brillando para que el mundo pueda vernos.

En tiempos difíciles siempre le rezo a la Madre Divina porque Ella es la que puede hacer milagros en nuestras vidas, así como crear un tipo de convergencia armónica en el mundo con todas sus locuras. Entonces, si usted realmente se mete en problemas, pídale su deseo y obtendrá resultados. (Para saber más sobre esto, por favor vea mi libro *Mother God*).

Me temo que siempre existirán los grupos clandestinos, pero tengo la esperanza de que los negativos puedan perder su fuerza gracias a toda la literatura que hay ahora. Si usted se une a una sociedad o religión, esté vigilante y recuerde que si no se siente bien, probablemente no es la correcta para usted. Como dijo Jesús, vaya y busque su propio Templo (esto es, el que Dios le dio y en el cual usted vive) y medite sobre eso. Sus instintos le dirán lo que está bien y está mal para usted, entonces no tendrá necesidad de seguir el camino de otros si no se siente bien interiormente.

Las sociedades secretas han estado con nosotros desde el comienzo de nuestra historia escrita (Francine dice que existieron desde antes). Creo que esto se debe a que la humanidad siempre ha deseado sentirse especial en los niveles espirituales, emocionales y sociales. Desde la prehistoria, ya teníamos necesidad de unirnos para defendernos de los elementos o los depredadores.

Los seres humanos siempre nos hemos juntado para combatir la opresión y la adversidad, sin importar la época o el lugar. Por ejemplo, mi padre creció en el sector noreste de la ciudad de Kansas en Missouri. Aún antes de la Depresión, todos allí eran pobres; y tanto judíos como italianos e irlandeses combinaban sus esfuerzos para lograr salir adelante. Sin embargo, a medida que ha pasado el tiempo, el planeta se ha vuelto más segregado, intolerante y paranoico. Esto no es necesariamente nuestra culpa, porque las guerras, los terroristas, asesinos, violadores y secuestradores que vemos en las noticias, todos los días, contribuyen a distorsionar la visión de la vida.

Hoy en día, las pandillas se juntan como si fueran guerreros. Tienen líderes y cierto objetivo, aunque el mismo consista solamente en defender su "territorio". Muchos pueden referirse a ellos como vínculos negativos, pero para sus miembros probablemente sean las relaciones más cercanas que hayan tenido en sus vidas. Como vemos, las pandillas usualmente se forman en vecindarios empobrecidos, asolados por el crimen, con familias destruidas y donde el abuso de alcohol y drogas es frecuente. Aunque sus miembros tienden a juntarse con el objetivo de protección mutua, a menudo es la única familia que conocen. Estoy convencida que el colapso de nuestras creencias en los sistemas políticos, en nuestras familias y en la vida en comunidad, son las causas para la proliferación de las pandillas. Sin embargo, la realidad es que existen y son uno de los ejemplos primarios de la gente agrupándose para poder sobrevivir.

Es parte de la naturaleza humana la necesidad de encontrar un lugar que le pueda dar sentido de pertenencia e importancia. Pero también es vital que podamos juntarnos espiritualmente y ayudarnos unos a otros. Como Francine nos recuerda: "Su propósito en esta vida es abandonar el ego y dar de usted mismo". La mayoría de nosotros hemos llegado a estos tiempos y probablemente encontrado lo difícil que es darse uno mismo por la confusión reinante en el mundo. Pero tengo la esperanza, que a través de la búsqueda espiritual, usted haya logrado ser más afectuoso y generoso.

"Este es un proceso de aprendizaje, especialmente en este tiempo de discordia, guerra y turbulencia que lo puede inclinar a concentrarse en usted mismo y aislarse. Si no tiene cuidado, puede desarrollar este aislamiento y encerrarse en una forma de austeridad. Lo que significa que producto del temor, quedará desprovisto de su capacidad de amar. Esto no necesariamente se refiere al abrazo físico, sino también al espiritual y psíquico". En este punto debo intervenir para decir que el abrazo físico también puede ser maravilloso. Me encanta cuando en un evento donde estoy firmando libros, alguien me pregunta: "Sylvia, ¿puedo abrazarte?"

De cualquier manera, continuando con lo que decía mi guía: "Es fácil; tome un amplio espectro de la humanidad y ámelo. Puede discriminar, pero tenga en cuenta que amar a otros atraerá el bien hacia usted. Los entes oscuros, a menos que quieran algo, son repelidos por el amor incondicional".

Cuando alguien le preguntó a Francine qué podemos hacer en medio de la desesperanza de este mundo negativo, ella contestó: "Bueno, esto está realmente en la esencia de lo que usted se esfuerza por encontrar dentro de sí mismo y su Dios interior y el Dios exterior. No permita ser manipulado por el poder o el misticismo y libre la batalla contra la negatividad".

Entonces, de nuevo, las reglas a seguir son simples. No escuche a nadie que se imponga por encima de los demás. Asegúrese de que las reglas y normas no le coarten su libertad de investigar y buscar su propio centro de Dios. Luego, tome esa libertad para adorar y amar a Dios a su manera. Francine acostumbraba a decir que si usted pone tres o cuatro personas en un salón, tendrá un miniuniverso con diferentes experiencias y puntos de vista. Pero en mis 70 años, he descubierto que los seres humanos tienen una continua necesidad no sólo de pertenencia, sino de encontrar y seguir la verdad universal que se adapte a todos nosotros.

Al terminar este libro, me gustaría que recuerde estas palabras de mi guía espiritual: "Debe entender que aun si sólo uno de ustedes sale de aquí y empieza a encender las lámparas de otras personas, habrá logrado que un lugar oscuro empiece a brillar".

Deseo que todos y cada uno de ustedes encuentren la fortaleza y el coraje para iluminar el mundo.

Dios los ama. Yo también,

Sylvia

ACERCA DE LA AUTORA

Sylvia Browne es la autora número uno en ventas del *New York Times*, psíquica y médium reconocida mundialmente, quien se presenta con regularidad en los programas de televisión: *The Montel Williams Show* y *Larry King Live*, igual que en otros incontables medios de comunicación y presentaciones públicas. Con su personalidad realista y gran sentido del humor, Sylvia estremece a sus audiencias durante las giras y conferencias, y todavía tiene tiempo para escribir numerosos libros inmensamente populares. Tiene una maestría en Literatura Inglesa y planes para seguir escribiendo mientras sea capaz de sostener un lápiz.

Sylvia es presidenta de Sylvia Browne Corporation; y fundadora de su iglesia, la Society of Novus Spiritus, localizada en Campbell, California. Para mayor información sobre su trabajo, por favor contáctela en: **www.sylvia.org**, o llamando al **(408) 379-7070**.

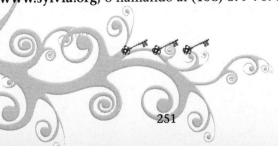